D1633412

GUIDES

LE ROBERT
& NATHAN

SOUS LA DIRECTION
D'ALAIN BENTOLILA

[Conjugaison]

 Nathan

AVANT-PROPOS

Cet ouvrage a l'ambition de permettre à tous d'accéder directement à la forme conjuguée, au temps et au mode désirés, de tout verbe de la langue française.

Pour atteindre cet objectif, **LE ROBERT & NATHAN CONJUGAISON** s'est doté de trois atouts spécifiques :

■ un répertoire très riche, issu des corpus du Nouveau Petit Robert et du Grand Robert, qui recense les verbes de la langue française, des plus fréquents aux plus rares, des plus récents aux plus anciens,

■ un nombre très important de tableaux de conjugaison qui facilite au maximum le passage du verbe modèle au verbe à conjuguer.

Grâce aux difficultés spécifiques mises clairement en évidence dans chaque tableau, tous les verbes peuvent être conjugués facilement, en évitant les pièges, chacun sur un modèle précis.

■ un chapitre «formes et emplois du verbe» renseigne :
- sur l'usage de chaque temps, de chaque mode, ainsi que sur la règle de concordance des temps,
- sur les règles d'accord du verbe, des plus simples aux plus complexes,
- sur tous les cas particuliers et exceptions des formes et emplois du verbe.

LE ROBERT & NATHAN CONJUGAISON est un ouvrage de référence et d'apprentissage. Sa facilité de consultation et sa rigueur en font l'outil indispensable de la classe, de la famille et de la vie professionnelle.

Ont contribué à cet ouvrage :
Émilie CARELLI
Guy FOURNIER
Maryse FUCHS
Dominique KORACH
Michèle LANCINA
Régine SABRE

Sommaire

Grammaire

Tableaux de conjugaison

Dictionnaire

3

PARCOURS D'UTILISATION

Pour savoir conjuguer un verbe, mais aussi pour comprendre comment il faut utiliser les formes du verbe.

1. Conjuguer un verbe

Comprend conjuguer *percevoir* au présent du subjonctif ?

Chercher *percevoir* dans l'INDEX ALPHABÉTIQUE DES VERBES

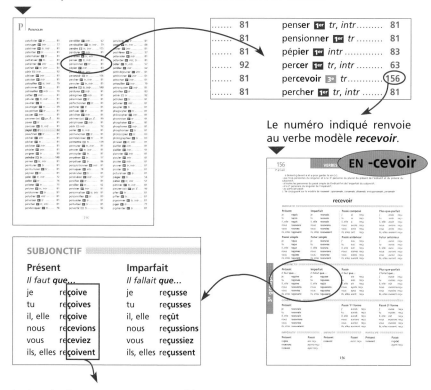

Le numéro indiqué renvoie au verbe modèle *recevoir*.

La terminaison en gras correspond à la terminaison commune à *recevoir* et *percevoir*.

Pour conjuguer sans efforts et **pour éviter toute erreur de transposition** entre le verbe modèle et le verbe conjugué, il suffit de remplacer le « re » de *recevoir* par le « per » de *percevoir*.

2. Choisir un temps

Quand employer le passé simple ?
Quand employer l'imparfait ?

Chercher à *passé simple / imparfait*
dans l'INDEX DES FORMES ET EMPLOIS DU VERBE

▼

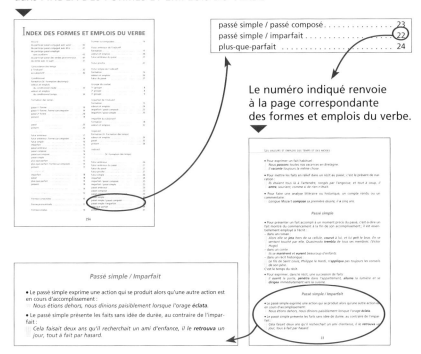

passé simple / passé composé 23
passé simple / imparfait 22
plus-que-parfait 24

Le numéro indiqué renvoie
à la page correspondante
des formes et emplois du verbe.

▼

3. Résoudre un problème d'accord

Comment accorder le participe passé d'un verbe pronominal ?

▶ Chercher à *accord* ou à *pronominal.*

▶ Le numéro indiqué renvoie à la page correspondante
des formes et emplois du verbe.

5

Formes et emplois du verbe

LES TROIS GROUPES

On classe traditionnellement les verbes en trois groupes.

Le 1er groupe

Appartiennent à ce groupe les verbes dont l'infinitif se termine par *-er* :
  parler

Environ 90 % des verbes français appartiennent au 1er groupe.

Fiche signalétique du 1er groupe

Infinitif en *-er* : *parler*
Participe passé en *-é* : *(ayant) parlé, j'ai parlé*
Présent de l'indicatif en *-e, -es, -e* aux 3 personnes du singulier : *je parle, tu parles, elle parle*
Passé simple en *-a, -èrent* à la 3e personne : *il parla, ils parlèrent*

Attention !
Aller est un verbe du 3e groupe.

Le 2e groupe

Appartiennent à ce groupe les verbes dont l'infinitif se termine par *-ir* et le participe présent par *-issant* :
  finir, finissant

Ce groupe comprend environ 300 verbes.

Fiche signalétique du 2e groupe

Infinitif en *-ir* : *finir*
Imparfait en *-issais* à la 1re personne du singulier : *je finissais*
Participe présent en *-issant* : *finissant*
Participe passé en *-i* : *(ayant) fini, j'ai fini*

Présent de l'indicatif en *-is, -is, -it* aux 3 personnes du singulier : *je finis, tu finis, elle finit*
Passé simple en *-it, -irent* à la 3e personne : *il finit, ils finirent*

Le 3e groupe

Appartiennent à ce groupe tous les autres verbes dont l'infinitif se termine par *-ir*, plus les verbes dont l'infinitif se termine par *-oir* ou par *-re* :
mentir, savoir, prendre

Ce groupe comprend environ 350 verbes.

Fiche signalétique du 3e groupe

Infinitif en *-ir* : *partir, venir*
    en *-oir* : *savoir, pouvoir*
    en *-re* : *mettre, prendre, écrire, boire*
Participe passé le plus souvent en *-i* : *(étant) parti, je suis parti*
    ou en *-u* : *(ayant) vaincu, j'ai vaincu ; (ayant) bu, j'ai bu*
Participe passé en *-s* : *(ayant) mis, j'ai mis*
    ou en *-t* : *(ayant) conduit, j'ai conduit*
Présent de l'indicatif en *-s, -s, -t* aux 3 personnes du singulier : *je pars, tu pars, elle part*
    ou en *-s, -s, -d* : *je prends, tu prends, elle prend*
    ou en *-x, -x, -t* : *je peux, tu peux, il peut*
Passé simple en *-it, -irent* à la 3e personne : *il partit, ils partirent*
    ou en *-ut, -urent* : *il put, ils purent*
    ou en *-int, -inrent* : *il vint, ils vinrent*

LES FORMES SIMPLES ET LES FORMES COMPOSÉES DU VERBE

Les formes simples

> Les formes simples du verbe sont constituées d'un seul mot.

On les retrouve dans tous les temps simples à la voix active :

mode	temps simples	voix active
indicatif	présent	j'**aime**
	passé simple	j'**aimai**
	imparfait	j'**aimais**
	futur simple	j'**aimerai**
subjonctif	présent	que j'**aime**
	imparfait	que j'**aimasse**
conditionnel	présent	j'**aimerais**
impératif	présent	**aime**
infinitif	présent	**aimer**
participe	présent	**aimant**
	passé	**aimé(e)**

Les formes composées

> Les formes composées du verbe sont constituées de deux ou plusieurs mots.

On les retrouve dans les temps composés à la voix active et passive ou dans les temps simples à la voix passive :

mode	temps composés	voix active	voix passive
indicatif	passé composé	j'**ai aimé**	j'**ai été aimé(e)**
	passé antérieur	j'**eus aimé**	j'**eus été aimé(e)**
	plus-que-parfait	j'**avais aimé**	j'**avais été aimé(e)**
	futur antérieur	j'**aurai aimé**	j'**aurai été aimé(e)**
subjonctif	passé	que j'**aie aimé**	que j'**aie été aimé(e)**
	plus-que-parfait	que j'**eusse aimé**	que j'**eusse été aimé(e)**
conditionnel	passé 1re forme	j'**aurais aimé**	j'**aurais été aimé(e)**
	passé 2e forme	j'**eusse aimé**	j'**eusse été aimé(e)**

impératif	passé	aie aimé	*(inusité)*
infinitif	passé	avoir aimé	avoir été aimé(e)
participe	passé	ayant aimé	ayant été aimé(e)

mode	temps simples	voix passive
indicatif	présent	je **suis aimé(e)**
	passé simple	je **fus aimé(e)**
	imparfait	j'**étais aimé(e)**
	futur simple	je **serai aimé(e)**
subjonctif	présent	que je **sois aimé(e)**
	imparfait	que je **fusse aimé(e)**
conditionnel	présent	je **serais aimé(e)**
impératif	présent	**sois aimé(e)**
infinitif	présent	**être aimé(e)**
participe	présent	**étant aimé(e)**

LA FORME PRONOMINALE

> Le verbe à la forme pronominale comporte toujours un pronom réfléchi de la même personne que le sujet.

		sujet	pronom réfléchi	verbe
singulier	1re pers.	je	me	lave
	2e pers.	tu	te	laves
	3e pers.	il, elle	se	lave
pluriel	1re pers.	nous	nous	lavons
	2e pers.	vous	vous	lavez
	3e pers.	ils, elles	se	lavent

> *Attention !*
> À l'impératif, le pronom réfléchi ne précède plus le verbe, mais le suit ; il est séparé de lui par un trait d'union :
>   *nous nous asseyons* → *asseyons-**nous***
> À la 2ᵉ personne du singulier de l'impératif, on remplace *te* par *toi* :
>   *tu te laves* → *lave-**toi***

• Aux temps simples, les verbes à la forme pronominale suivent la conjugaison des verbes à la voix active, mais aux temps composés ils se conjuguent toujours avec l'auxiliaire *être* :
    *je me **suis** lavée (se laver) / j'ai lavé la vaisselle (laver)*

LES RÈGLES DE FORMATION DES TEMPS ET DES MODES

À chaque personne de chaque temps et de chaque mode correspond une forme verbale.

La formation des temps simples dans le 1ᵉʳ et le 2ᵉ groupe

> Aux temps simples, la forme verbale est constituée d'un radical et d'une terminaison.

Le radical est ce qui reste du verbe quand on retire la terminaison.
Les temps simples sont formés de trois façons différentes, à partir de trois types de radicaux.

• Le 1ᵉʳ type de radical est obtenu en prenant la forme de l'infinitif et en ôtant la terminaison *-er* ou *-ir* :
    radical de l'infinitif de *parler* : *parl(er)* → *parl-*
    radical de l'infinitif de *finir* : *fin(ir)* → *fin-*
Sont formés sur ce radical les temps simples suivants :
– Indicatif présent : *je **parle**, je **fini**s* ; imparfait (pour le 1ᵉʳ groupe seulement) : *je **parlai**s* ; passé simple : *je **parlai**, je **fini**s.*

– Subjonctif présent (pour le 1er groupe seulement) : *(il faut que) je* **parle** ;
imparfait : *(il fallait que) je* **parl**asse, *(il fallait que) je* **fin**isse.
– Impératif présent : **parle**, **fin**is.

• Le 2e type de radical sert à la formation de certains temps simples pour les verbes du 2e groupe uniquement. Il est obtenu en prenant la forme du participe présent et en ôtant la terminaison *-ant* :
▦ radical du participe présent de *finir* : **finiss**(ant) → **finiss-**
Sont formés sur ce radical les temps simples suivants :
– Indicatif imparfait : *je* **finiss**ais.
– Subjonctif présent : *(il faut que) je* **finiss**e.

• Le 3e type de radical est constitué de l'infinitif utilisé en entier :
▦ radical : **parler-, finir-**
Sont formés sur ce radical les temps simples suivants :
– Indicatif futur simple : *je* **parler**ai, *je* **finir**ai.
– Conditionnel présent : *je* **parler**ais, *je* **finir**ais.

> **Attention !**
> Les verbes en *-e(consonnes)er*, *-oyer* et *-uyer* ne suivent pas cette règle.

La formation des temps simples dans le 3e groupe

> Il n'existe pas de modèle de conjugaison et donc de règles de formation pour le 3e groupe.

On peut néanmoins signaler les constantes suivantes :
– À l'indicatif présent, tous les verbes se terminent par *-ons*, *-ez*, *-ent* aux trois personnes du pluriel : *nous* **pren**ons, *vous* **mett**ez, *ils* **sav**ent.
– À l'indicatif imparfait, on retrouve exactement les mêmes terminaisons que pour les 1er et 2e groupes, *-ais*, *-ais*, *-ait*, *-ions*, *-iez*, *-aient* : *je* **pren**ais, *nous* **mett**ions, *ils* **sav**aient.
– À l'impératif présent, sauf quelques exceptions, on retrouve les mêmes formes qu'à l'indicatif présent aux personnes correspondantes : *mets (tu mets)*, *mett***ons** *(nous mettons)*, *mett***ez** *(vous mettez)*.
– Au subjonctif présent, on retrouve les mêmes terminaisons que pour les 1er et 2e groupes, *-e*, *-es*, *-e*, *-ions*, *-iez*, *-ent* : *(il faut que) je* **voi**e, *nous* **mett**ions, *ils* **sach**ent.

13

La formation des temps composés et surcomposés dans les trois groupes

> Aux temps composés, la forme verbale est constituée de l'auxiliaire *avoir* ou *être* conjugué au temps simple correspondant et du participe passé du verbe conjugué.
>
> Aux temps surcomposés, la forme verbale est constituée de l'auxiliaire *avoir* ou *être* conjugué au temps composé et du participe passé du verbe conjugué.

Les correspondances entre temps simples, temps composés et temps surcomposés s'établissent comme suit :

mode	temps simples de l'auxiliaire	temps composés de la forme verbale	temps surcomposés de la forme verbale
indicatif	présent **ai**	passé composé **ai parlé**	**ai eu parlé**
	imparfait **avais**	plus-que-parfait **avais parlé**	**avais eu parlé**
	passé simple **eus**	passé antérieur **eus parlé**	
	futur simple **aurai**	futur antérieur **aurai parlé**	**aurai eu parlé**
subjonctif	présent **aie**	passé **aie parlé**	**aie eu parlé**
	imparfait **eusse**	plus-que-parfait **eusse parlé**	
conditionnel	présent **aurais**	passé 1re forme **aurais parlé**	**aurais eu parlé**
		passé 2e forme **eusse parlé**	
impératif	présent **aie**	passé **aie parlé**	

TABLEAUX DE FORMATION DES TEMPS ET DES MODES

L'indicatif

Présent

1er groupe	2e groupe
je parle	je finis
tu parles	tu finis
il, elle parle	il, elle finit
nous parlons	nous finissons
vous parlez	vous finissez
ils, elles parlent	ils, elles finissent

1er groupe : radical de l'infinitif suivi de **-e, -es, -e, -ons, -ez, -ent**
2e groupe : radical de l'infinitif suivi de **-is, -is, -it, -issons, -issez, -issent**

Imparfait

1er groupe	2e groupe
je parlais	je finissais
tu parlais	tu finissais
il, elle parlait	il, elle finissait
nous parlions	nous finissions
vous parliez	vous finissiez
ils, elles parlaient	ils, elles finissaient

1er groupe : radical de l'infinitif suivi de **-ais, -ais, -ait, -ions, -iez, -aient**
2e groupe : radical du participe présent suivi de **-ais, -ais, -ait, -ions, -iez, -aient**

Passé simple

1er groupe	2e groupe
je parlai	je finis
tu parlas	tu finis
il, elle parla	il, elle finit
nous parlâmes	nous finîmes
vous parlâtes	vous finîtes
ils, elles parlèrent	ils, elles finirent

1er groupe : radical de l'infinitif suivi de **-ai, -as, -a, -âmes, -âtes, -èrent**
2e groupe : radical de l'infinitif suivi de **-is, -is, -it, -îmes, -îtes, -irent**

Futur simple

1er groupe	2e groupe
je parlerai	je finirai
tu parleras	tu finiras
il, elle parlera	il, elle finira
nous parlerons	nous finirons
vous parlerez	vous finirez
ils, elles parleront	ils, elles finiront

1er et 2e groupe : infinitif en entier suivi de **-ai, -as, -a, -ons, -ez, -ont**

Passé composé

1er groupe	2e groupe
j' **ai** parlé	j' **ai** fini
tu **as** parlé	tu **as** fini
il, elle **a** parlé	il, elle **a** fini
nous **avons** parlé	nous **avons** fini
vous **avez** parlé	vous **avez** fini
ils, elles **ont** parlé	ils, elles **ont** fini

1er et 2e groupe : présent de l'auxiliaire *avoir* ou *être* suivi du participe passé du verbe conjugué

Plus-que-parfait

1er groupe	2e groupe
j' **avais** parlé	j' **avais** fini
tu **avais** parlé	tu **avais** fini
il, elle **avait** parlé	il, elle **avait** fini
nous **avions** parlé	nous **avions** fini
vous **aviez** parlé	vous **aviez** fini
ils, elles **avaient** parlé	ils, elles **avaient** fini

1er et 2e groupe : imparfait de l'auxiliaire *avoir* ou *être* suivi du participe passé du verbe conjugué

Passé antérieur

1er groupe	2e groupe
j' **eus** parlé	j' **eus** fini
tu **eus** parlé	tu **eus** fini
il, elle **eut** parlé	il, elle **eut** fini
nous **eûmes** parlé	nous **eûmes** fini
vous **eûtes** parlé	vous **eûtes** fini
ils, elles **eurent** parlé	ils, elles **eurent** fini

1er et 2e groupe : passé simple de l'auxiliaire *avoir* ou *être* suivi du participe passé du verbe conjugué

Futur antérieur

1er groupe	2e groupe
j' **aurai** parlé	j' **aurai** fini
tu **auras** parlé	tu **auras** fini
il, elle **aura** parlé	il, elle **aura** fini
nous **aurons** parlé	nous **aurons** fini
vous **aurez** parlé	vous **aurez** fini
ils, elles **auront** parlé	ils, elles **auront** fini

1er et 2e groupe : futur simple de l'auxiliaire *avoir* ou *être* suivi du participe passé du verbe conjugue

Le subjonctif

Présent

1er groupe	2e groupe
(il faut que) je parle	(il faut que) je finisse
(que) tu parles	(que) tu finisses
(qu')il, elle parle	(qu')il, elle finisse
(que) nous parlions	(que) nous finissions
(que) vous parliez	(que) vous finissiez
(qu')ils, elles parlent	(qu')ils, elles finissent

1er groupe : radical de l'infinitif suivi de **-e, -es, -e, -ions, -iez, -ent**
2e groupe : radical du participe présent suivi de **-e, -es, -e, -ions, -iez, -ent**

Imparfait

1er groupe	2e groupe
(il fallait que) je parlasse	(il fallait que) je finisse
(que) tu parlasses	(que) tu finisses
(qu')il, elle parlât	(qu')il, elle finît
(que) nous parlassions	(que) nous finissions
(que) vous parlassiez	(que) vous finissiez
(qu')ils, elles parlassent	(qu')ils, elles finissent

1er groupe : radical de l'infinitif suivi de **-asse, -asses, -ât, -assions, -assiez, -assent**
2e groupe : radical de l'infinitif suivi de **-isse, -isses, -ît, -issions, -issiez, -issent**

Passé

1er groupe	2e groupe
(il faut que) j' **aie** parlé	(il faut que) j' **aie** fini
(que) tu **aies** parlé	(que) tu **aies** fini
(qu')il, elle **ait** parlé	(qu')il, elle **ait** fini
(que) nous **ayons** parlé	(que) nous **ayons** fini
(que) vous **ayez** parlé	(que) vous **ayez** fini
(qu')ils, elles **aient** parlé	(qu')ils, elles **aient** fini

1er et 2e groupe : présent du subjonctif de l'auxiliaire *avoir* ou *être* suivi du participe passé du verbe conjugué

18

Plus-que-parfait

1er groupe	2e groupe
(que) j' **eusse** parlé	(que) j' **eusse** fini
(que) tu **eusses** parlé	(que) tu **eusses** fini
(qu')il, elle **eût** parlé	(qu')il, elle **eût** fini
(que) nous **eussions** parlé	(que) nous **eussions** fini
(que) vous **eussiez** parlé	(que) vous **eussiez** fini
(qu')ils, elles **eussent** parlé	(qu')ils, elles **eussent** fini

1er et 2e groupe : imparfait du subjonctif de l'auxiliaire *avoir* ou *être* suivi du participe passé du verbe conjugué

Le conditionnel

Présent

1er groupe	2e groupe
je parler**ais**	je finir**ais**
tu parler**ais**	tu finir**ais**
il, elle parler**ait**	il, elle finir**ait**
nous parler**ions**	nous finir**ions**
vous parler**iez**	vous finir**iez**
ils, elles parler**aient**	ils, elles finir**aient**

1er et 2e groupe : infinitif en entier suivi de **-ais, -ais, -ait, -ions, -iez, -aient**

Passé 1re forme

1er groupe	2e groupe
j' **aurais** parlé	j' **aurais** fini
tu **aurais** parlé	tu **aurais** fini
il, elle **aurait** parlé	il, elle **aurait** fini
nous **aurions** parlé	nous **aurions** fini
vous **auriez** parlé	vous **auriez** fini
ils, elles **auraient** parlé	ils, elles **auraient** fini

1er et 2e groupe : présent du conditionnel de l'auxiliaire *avoir* ou *être* suivi du participe passé du verbe conjugué

Passé 2ᵉ forme

1ᵉʳ groupe	2ᵉ groupe
j' **eusse** parlé	j' **eusse** fini
tu **eusses** parlé	tu **eusses** fini
il, elle **eût** parlé	il, elle **eût** fini
nous **eussions** parlé	nous **eussions** fini
vous **eussiez** parlé	vous **eussiez** fini
ils, elles **eussent** parlé	ils, elles **eussent** fini

1ᵉʳ et 2ᵉ groupe : imparfait du subjonctif de l'auxiliaire *avoir* ou *être* suivi du participe passé du verbe conjugué

L'impératif

Présent

1ᵉʳ groupe	2ᵉ groupe
parl**e**	fin**is**
parl**ons**	fin**issons**
parl**ez**	fin**issez**

1ᵉʳ groupe : radical de l'infinitif suivi de **-e, -ons, -ez**
2ᵉ groupe : radical de l'infinitif suivi de **-is, -issons, -issez**

Passé

1ᵉʳ groupe	2ᵉ groupe
aie parlé	**aie** fini
ayons parlé	**ayons** fini
ayez parlé	**ayez** fini

1ᵉʳ et 2ᵉ groupe : présent de l'impératif de l'auxiliaire *avoir* ou *être* suivi du participe passé du verbe conjugué

LES VALEURS ET EMPLOIS DES TEMPS ET DES MODES

Chaque mode, outre sa valeur générale, a des emplois particuliers. De même chaque temps, à côté de son sens propre, a des valeurs secondaires.

L'indicatif

Le mode indicatif sert à exprimer la réalité d'une action considérée comme certaine ou probable, en la situant dans le présent, le passé ou le futur.

Présent

• Pour exprimer un fait qui se déroule au moment où l'on parle :
   *Qui **est** à l'appareil ?*
   *Je ne me **sens** pas très bien.*

• Pour exprimer un fait qui se prolonge dans le passé ou dans le futur :
   *Ils **habitent** le quartier depuis trente ans.*
   *Elle **attend** un bébé.*

• Pour exprimer le futur proche :
   *Je **reviens** tout de suite.*
   *Nos amis **arrivent** demain.*

• Pour exprimer un fait futur présenté comme dépendant directement d'un autre fait :
   *Un mot de plus de ta part et je te **jette** dehors.*

• Avec la conjonction *si*, pour exprimer un fait futur sur la réalité duquel on ne se prononce pas :
   *Si demain matin tu **vas** au marché, je t'accompagnerai.*

• Pour exprimer un passé récent :
   *Je **sors** de chez mon frère.*

• Pour formuler un proverbe, une maxime :
   *L'argent ne **fait** pas le bonheur.*

• Pour énoncer une vérité scientifique :
   *L'eau **bout** à 100 °C.*

• Pour énoncer ce qui est vrai à tout moment :
   *Tout le monde **peut** se tromper.*
   *Il **a** les yeux verts.*

● Pour exprimer un fait habituel :

> *Nous **passons** toutes nos vacances en Bretagne.*
> *Il **raconte** toujours la même chose.*

● Pour mettre les faits en relief dans un récit au passé ; c'est le présent de narration :

> *Ils étaient tous là à l'attendre, rongés par l'angoisse, et tout à coup, il **entre**, souriant, comme si de rien n'était.*

● Pour faire une analyse littéraire ou historique, un compte rendu ou un commentaire :

> *Lorsque Mozart **compose** sa première œuvre, il **a** cinq ans.*

Passé simple

● Pour présenter un fait accompli à un moment précis du passé, c'est-à-dire un fait montré du commencement à la fin de son accomplissement ; il est essentiellement employé à l'écrit :
– dans un roman :

> *Alors elle se **jeta** hors de sa cellule, **courut** à lui, et lui **prit** le bras. En se sentant touché par elle, Quasimodo **trembla** de tous ses membres. (Victor Hugo)*

– dans un conte :

> *Ils se **marièrent** et **eurent** beaucoup d'enfants.*

– dans un récit historique :

> *Le fils de Saint Louis, Philippe le Hardi, n'**appliqua** pas toujours les conseils de son père.*

C'est le temps du récit.

● Pour exprimer, dans le récit, une succession de faits :

> *Il **ouvrit** la porte, **pénétra** dans l'appartement, **alluma** la lumière et se **dirigea** immédiatement vers la cuisine.*

Passé simple / Imparfait

● Le passé simple exprime une action qui se produit alors qu'une autre action est en cours d'accomplissement :

> *Nous étions dehors, nous dînions paisiblement lorsque l'orage **éclata**.*

● Le passé simple présente les faits sans idée de durée, au contraire de l'imparfait :

> *Cela faisait deux ans qu'il recherchait un ami d'enfance, il le **retrouva** un jour, tout à fait par hasard.*

• Le passé simple présente les faits successivement dans le passé, alors que l'imparfait présente les faits simultanément :

*Elle **ouvrit** la porte, **alluma** la lumière et **alla** s'allonger sur le canapé.*

Tout était calme ce soir-là : les enfants jouaient tranquillement dans leur chambre, leur mère préparait le repas dans la cuisine et le chien, Jim, dormait devant la cheminée.

Passé simple / Passé composé

• Le passé simple est essentiellement employé dans la langue écrite soutenue :

*Il **marcha** trente jours, il **marcha** trente nuits. (Victor Hugo)*

• Il a progressivement été remplacé dans la langue parlée par le passé composé :

Les voisins m'ont dit qu'il a marché toute la nuit.

Passé composé

• Pour présenter un fait accompli à un moment précis ou non du passé ; il est essentiellement employé dans la langue orale, les dialogues, la correspondance :

*Hier soir, je **suis rentrée** très tard.*

*J'**ai** bien **reçu** ta lettre.*

• Pour présenter, dans le passé, une succession de faits :

*Nous **avons passé** des vacances extraordinaires : nous **avons visité** des sites magnifiques, nous **avons rencontré** des gens sympathiques et nous nous **sommes** beaucoup **amusés**.*

• Pour présenter un fait passé dont l'influence se fait encore sentir dans le présent :

*Mes parents **sont venus** s'installer près de chez nous : ils habitent à deux rues d'ici.*

• Pour formuler des dépêches, des gros titres dans les journaux, des nouvelles courtes :

*Le Premier ministre **a annoncé** une série de mesures pour lutter contre le chômage.*

• Pour énoncer, sans narration, des faits historiques anciens :

*Christophe Colomb **a découvert** l'Amérique.*

• Au lieu du futur antérieur, pour exprimer un fait sur le point d'être achevé, mais présenté comme déjà accompli :

*J'arrive, j'**ai terminé** dans deux secondes.*

• Avec la conjonction *si*, pour exprimer un fait futur dont l'accomplissement reste incertain :

*Si tu n'**as** pas **rangé** ta chambre demain, tu seras punie.*

• Pour exprimer une vérité générale :

*On n'**a** jamais **vu** la petite bête manger la grosse.*

Passé composé / Passé surcomposé

● Le passé surcomposé est essentiellement employé dans la langue parlée, à la place du passé antérieur, pour exprimer un fait qui s'est déroulé avant un autre, exprimé lui au passé composé :

*Quand elle **a eu fini** de tout ranger dans la maison, elle **est sortie** se promener avec une amie.*

Plus-que-parfait

● Pour exprimer qu'un fait passé s'est déroulé avant un autre, mais avec un intervalle de temps entre les deux ;
– avant un fait au passé composé :

*Nous avons revu ce couple si sympathique que nous **avions rencontré** l'été dernier.*

– avant un fait à l'imparfait :

*Tout le monde pensait qu'il **était parti** en voyage.*

– avant un fait au passé simple :

*En la voyant pleurer, il comprit qu'elle **avait échoué** à son examen.*

● Pour exprimer l'idée d'habitude à propos d'une action passée qui se déroulait immédiatement avant une autre :

*Enfants, dès que nous **avions fini** nos devoirs, ma mère nous faisait dîner.*

● Pour exprimer un fait isolé, passé par rapport au moment présent :

*Je t'**avais prévenu**.*
*Je te l'**avais** bien **dit**.*

● Avec la conjonction *si*, pour exprimer une hypothèse faite dans le passé :

*Si j'**avais su**, je ne serais pas venu.*

● Avec la conjonction *si*, dans une proposition indépendante exclamative, pour exprimer le regret :

*Si j'**avais su** !*
*Ah ! si tu m'**avais écoutée**.*

Imparfait

● Pour présenter un fait passé en cours d'accomplissement, c'est-à-dire une action ou un état dont ni le commencement ni la fin ne sont indiqués :
– dans une description :

*Il y **avait** beaucoup de monde dans le métro ce matin : les gens se **bousculaient** pour entrer dans les wagons, ils se **piétinaient**, s'**interpellaient** ; c'**était** affreux !*

– dans un portrait :

*La mariée **était** magnifique : elle **était** vêtue d'une robe en dentelle, elle **portait** un voile immense. Ses cheveux **étaient** parsemés de petites roses blanches.*

– dans un commentaire ou une explication :

*Tu n'as pas vu le livre qui **était** sur mon bureau ?*

*Le professeur s'est fâché parce que les élèves n'**arrêtaient** pas de parler.*

C'est le temps de la description.

• Pour exprimer un fait passé simultané par rapport à un autre :

*Lorsque mes parents **étaient** en voyage, je **dormais** chez ma tante.*

• Pour exprimer une habitude, un fait passés qui se répétaient ; le verbe à l'imparfait est souvent accompagné de locutions exprimant le temps ou l'habitude :

*Quand j'**étais** enfant, ma mère me **racontait** chaque soir une histoire.*

*Mon père **avait** pour habitude de se lever le premier.*

• Avec la conjonction *si*, pour exprimer une hypothèse, une supposition ; l'imparfait n'exprime plus dans ce cas un fait passé, mais un fait présent ou futur irréel ou non réalisé :

*Ah, si j'**étais** riche !*

*Si tu m'**accompagnais** demain, ça me rendrait un grand service.*

• À la place du conditionnel passé, pour présenter de façon plus vivante un fait comme certain ; l'imparfait a dans ce cas la valeur d'un futur antérieur du passé :

*Sans ton intervention, il nous **jetait** dehors.*

• Pour énoncer un fait historique daté avec précision dans le passé ; c'est un imparfait historique :

*En 1715, **mourait** Louis XIV. **Se mettait** alors en place la régence de Philippe d'Orléans qui **allait** durer jusqu'en 1723.*

• Pour formuler une demande avec politesse :

*Excusez-moi : je **voulais** savoir si vous aviez ces chaussures en 38.*

Imparfait / Passé simple

• L'imparfait exprime une action inachevée quand une autre s'est produite :

*Nous **étions** dehors, nous **dînions** paisiblement lorsque l'orage éclata.*

Imparfait / Passé composé

• L'imparfait exprime une action inachevée quand une autre s'est produite. Le passé composé a ici la même valeur que le passé simple, mais il s'emploie de préférence à l'oral (ou dans les articles de presse), alors que le passé simple s'emploie dans la langue écrite (roman, récit historique, conte…) :

> Nous **étions** dehors, nous **dînions** paisiblement lorsque l'orage a éclaté.
> Il **pleuvait** à torrents quand nous sommes revenus de la piscine.
> Quand je suis née, mes parents **avaient** tout juste vingt ans.

Passé antérieur

• Pour exprimer qu'un fait passé s'est déroulé immédiatement avant un autre exprimé au passé simple ; il s'emploie surtout dans la langue écrite :

> Dès qu'il **eut fini** de dîner, il alla se coucher.

Futur simple

• Pour exprimer un fait à venir, proche ou lointain, par rapport au présent :

> Quand je **serai** grand, je **serai** pompier.
> Va te coucher, tu **finiras** ton travail demain.
> Il **ira** loin.

• Pour formuler un ordre de façon moins sèche qu'à l'impératif :

> Vous **lirez** ce livre pour la semaine prochaine. (Lisez ce livre…)

• Au lieu du présent de l'indicatif, pour atténuer avec politesse une formulation :

> Je vous **avouerai** que je n'approuve pas du tout votre conduite. (Je vous avoue que…)
> Je vous **dirai** qu'à mon avis vous avez tort. (Je vous dis…)

• Pour énoncer des faits historiques passés :

> Victoria accède au trône en 1837. Elle y **restera** jusqu'en 1901.

Futur antérieur

• Pour exprimer un fait futur, antérieur à un autre fait futur exprimé, lui, au futur simple :

> Je **serai** déjà **partie** quand vous arriverez.

• Pour indiquer qu'un fait à venir aura lieu avant le moment dont on parle :

> Dépêchez-vous sinon vous n'**aurez** jamais **fini** pour samedi.

• Pour exprimer un fait futur, non encore réalisé, mais considéré comme déjà accompli :

    *Attends-moi, j'**aurai terminé** dans deux minutes.*

• Au lieu du passé composé, pour exprimer un fait probable mais non certain :

    *Il **aura oublié** notre rendez-vous. (Il a sans doute oublié…)*

Futur proche

• Pour situer un fait dans un avenir très proche, on emploie les périphrases verbales suivantes :

– *aller* au présent de l'indicatif suivi de l'infinitif :

    *Dépêchez-vous, le train **va démarrer**.*

– *devoir* au présent de l'indicatif suivi de l'infinitif :

    *Elle **doit** se **faire opérer** la semaine prochaine.*

– *être sur le point de* au présent de l'indicatif suivi de l'infinitif :

    *Elle **est sur le point d'accoucher**.*

• Pour exprimer le futur proche dans le passé, on emploie les périphrases verbales suivantes :

– *aller* à l'imparfait de l'indicatif suivi de l'infinitif :

    *Je croyais qu'il **allait arriver** très vite. (Je crois qu'il va arriver très vite.)*

– *devoir* à l'imparfait de l'indicatif suivi de l'infinitif :

    *Il a dit qu'il **devait arriver** dans une heure. (Il dit qu'il doit arriver dans une heure.)*

– *être sur le point de* à l'imparfait de l'indicatif suivi de l'infinitif :

    *Je croyais qu'ils **étaient sur le point de déménager**. (Je crois qu'ils sont sur le point de déménager.)*

Futur du passé

• Pour exprimer le futur dans un récit au passé, on emploie le présent du conditionnel :

    *Je savais qu'il **viendrait**. (Je sais qu'il viendra.)*

Futur antérieur du passé

• Pour exprimer le futur antérieur dans un récit au passé, on emploie le passé du conditionnel :

    *Je pensais qu'il **serait** déjà **parti** quand j'arriverais. (Je pense qu'il sera déjà parti quand j'arriverai.)*

Le subjonctif

Le subjonctif est, par excellence, le mode de la proposition subordonnée, bien qu'on le trouve parfois dans des propositions indépendantes ou principales. Il exprime généralement une idée d'incertitude ou de possibilité.

Emploi obligatoire du mode subjonctif après certains verbes

• Après les verbes qui expriment un souhait, un désir, une volonté, un ordre ou une défense : *aimer que, aimer mieux que, attendre que, autoriser que, avoir envie que, défendre que, demander que, désirer que, exiger que, interdire que, ordonner que, permettre que, préférer que, souhaiter que, tenir à ce que, vouloir que...*

*J'aimerais mieux que vous **restiez** chez vous.*
*Il a envie que tu **viennes**.*
*Mon père ne permet pas que nous **sortions** seuls le soir.*
*Nous voulons que vous nous **accompagniez**.*

• Après les verbes qui expriment une permission, un consentement, un refus, une attente, une recommandation, un empêchement : *accepter que, approuver que, désapprouver que, empêcher que, être d'accord pour que, éviter que, proposer que, recommander que, refuser que, s'opposer à ce que, souffrir que, supporter que, tolérer que...*

*J'accepte que vous **assistiez** à notre réunion.*
*Elle refuse que nous l'**accompagnions**.*

• Après les verbes de sentiment (admiration, amour, haine, crainte, étonnement, joie, regret, indignation) : *admirer que, adorer que, aimer que, apprécier que, avoir honte que, avoir peur que, ne pas comprendre que, craindre que, critiquer (le fait) que, déplorer que, détester que, redouter que, regretter que, s'étonner que, s'indigner que, s'inquiéter que, se moquer que, se réjouir que...*

*Elle adore qu'on lui **fasse** des cadeaux.*
*Nous déplorons que vous **deviez** attendre si longtemps.*

Attention !
Espérer que est suivi de l'indicatif.
*J'espère qu'il **viendra**.*

• Après certains verbes impersonnels : *il arrive que, il convient que, il est (grand) temps que, il faut que, il faudrait que, il importe que, il se peut que, il suffit que, il vaut mieux que, peu importe que...*
*Il importe que vous **soyez** présent à cette réunion.*
*Il vaut mieux que nous **attendions**.*

• Après la construction *cela* suivi d'un verbe : *cela m'amuse que, cela m'arrange que, cela m'étonne que, cela m'inquiète que, cela me déplaît que, cela me dérange que, cela me rassure que, cela me surprend que...*
> Cela m'arrange que vous ne **veniez** que demain.
> Cela me gêne que vous **fassiez** tout le travail.

• Après les verbes *faire, faire en sorte que...*
> Fais (en sorte) que ton père n'en **sache** rien.

Emploi obligatoire du mode subjonctif après certaines conjonctions de subordination ou locutions conjonctives

• Après certaines locutions conjonctives introduisant une proposition subordonnée circonstancielle de **temps** : *avant que (ne), en attendant que, jusqu'à ce que...*
> J'attendrai ici jusqu'à ce que tu **reviennes**.
> Prenons l'apéritif en attendant qu'ils nous **rejoignent**.

> **Attention !**
> *Après que* est suivi de l'indicatif.

• Après certaines locutions conjonctives introduisant une proposition subordonnée circonstancielle de **conséquence** (la conséquence est envisagée mais non réalisée) : *pour que, assez* (+ adjectif) *pour que, trop* (+ adjectif) *pour que, sans que,* une proposition principale négative ou interrogative suivie de *que...*
> Il est encore trop petit pour qu'on le **fasse** manger avec les adultes.
> Elle est partie sans qu'on le **sache**.
> Ce n'est pas si grave qu'on ne **puisse** rien faire.

• Après certaines locutions conjonctives introduisant une proposition subordonnée circonstancielle de **cause** (la cause est présentée comme fausse) : *non que, non pas que, ce n'est pas que...*
> Ce n'est pas que je **veuille** vous chasser, mais il est déjà très tard et demain nous nous levons tôt.

• Après toutes les locutions conjonctives introduisant une proposition subordonnée circonstancielle de **but** : *afin que, à seule fin que, de crainte que... (ne), de peur que... (ne), pour que, que...*
> Viens demain afin que je te **présente** mes parents.
> Je lui ai téléphoné de peur (crainte) qu'il ne **parte**.
> Il est passé pour que je lui **remplisse** ses papiers.
> Approche que je t'**embrasse**.

• Après les locutions conjonctives introduisant une proposition subordonnée circonstancielle de **concession** ou **d'opposition** : *bien que, encore que, malgré que, quoique, si... que, quelque... que, tout... que...*
> *Je pense à toi bien que tu **sois** loin d'ici.*
> *Si loin que tu **sois**, je pense à toi.*
> *Quelque grande que **soit** sa fortune, il n'en est pas moins un homme comme un autre.*

• Après certaines locutions conjonctives introduisant une proposition subordonnée circonstancielle de **condition** : *à (la) condition que, à moins que... (ne), à supposer que, en supposant que, en admettant que, pourvu que, que... (ou) que, si tant est que, sans que, supposé que, soit que... soit que...*
> *Il viendra à condition que tu le **préviennes**.*
> *En admettant qu'il **prenne** un avion ce soir, il arrivera à temps.*
> *Qu'il **soit** d'accord ou qu'il ne le **soit** pas ne change rien au problème.*

• Après certaines locutions conjonctives introduisant une proposition subordonnée circonstancielle de **comparaison** : *autant que, pour autant que...*
> *Pour autant que je **sache**, vous êtes de service aujourd'hui.*
> *Il est rusé autant qu'on **puisse** l'être.*

• Après la conjonction *que*, en proposition indépendante, pour exprimer :
– un ordre ou une défense :
> *Qu'il **sorte** et qu'il ne **revienne** plus.*
– un souhait, une prière, un encouragement :
> *Que votre volonté **soit** faite.*
> *Que Dieu vous **garde**.*
– l'indignation :
> *Que je lui **fasse** des excuses, jamais !*

> *Attention !*
> Que peut être omis :
> > *Dieu vous **garde**.*

Emploi obligatoire du mode subjonctif après certains adjectifs ou participes

• Après les expressions suivantes : *être choqué que, content que, désolé que, enchanté que, étonné que, fâché que, fier que, flatté que, gêné que, heureux que, indigné que, mécontent que, ravi que, satisfait que, surpris que, triste que...*
> *Je suis content que vous **puissiez** venir.*
> *Il est très fâché que tu **sois parti** sans lui dire au revoir.*
> *Elle est ravie que vous **passiez** ce soir.*

• Après les expressions suivantes : *Il est / C'est / Je trouve agréable que, amusant que, bête que, bien que, bizarre que, bon que, drôle que, ennuyeux que, essentiel que, étonnant que, étrange que, excellent que, faux que, honteux que, important que, impossible que, indispensable que, inévitable que, injuste que, intéressant que, inutile que, juste que, logique que, mal que, malheureux que, mauvais que, naturel que, nécessaire que, normal que, possible que, rare que, regrettable que, sensationnel que, surprenant que, sympathique que, terrible que, triste que, utile que...*

> *Il est amusant que nous **soyons** du même village.*
> *Il est important que vous **compreniez** bien.*
> *Je trouve tout à fait normal que son mari la **soutienne**.*
> *Il trouve regrettable que vous ne lui en **ayez** pas **parlé**.*

• Après les constructions impersonnelles suivantes : *c'est dommage que, une chance que, une chose (curieuse, inquiétante, bizarre, etc.) que, un fait (remarquable, intéressant, etc.) que, une honte que, un malheur que...*

> *C'est dommage que tu ne **puisses** pas nous accompagner.*
> *C'est une chose incroyable qu'il **ait réussi** son examen.*

Emploi du mode subjonctif en alternance avec l'indicatif

• Dans certaines propositions relatives :
– on emploie le subjonctif quand on veut marquer une légère réserve ou une atténuation :

> *C'est peut-être le plus beau voyage que nous **ayons fait**.* (subjonctif)

– on emploie l'indicatif quand on affirme sans réserve un fait considéré dans sa réalité irréfutable :

> *C'est sans aucun doute le plus beau voyage que nous **avons fait**.* (indicatif)

• Après la forme négative ou interrogative des verbes d'opinion ou de jugement comme : *croire, estimer, juger, imaginer, penser, trouver, être d'avis, être certain que, être convaincu, être persuadé...*

> *Je ne crois pas qu'il **vienne** / qu'il **viendra**.*
> *Il n'est pas convaincu que tu **sois** le meilleur / que tu **es** le meilleur.*

L'indicatif permet de mettre l'accent sur le fait considéré, plus que sur l'opinion exprimée dans la proposition principale. Par ailleurs, la formulation à l'indicatif est moins recherchée que celle au subjonctif :

> *Penses-tu qu'il **a réussi** ? / qu'il **ait réussi** ?*
> *Estimez-vous que c'**est** la meilleure chose à faire ? / que ce **soit**... ?*

Valeurs des temps du subjonctif

• Le **présent** est employé dans une subordonnée au subjonctif avec un verbe au présent, au futur simple, à l'imparfait de l'indicatif ou au présent du conditionnel dans la principale :

– lorsqu'on veut exprimer un fait qui se déroule au même moment que celui de la principale (simultanéité) :
> *J'exige que tu lui **fasses** des excuses sur-le-champ.*
> *Demain, je garderai les enfants, bien que j'**aie** beaucoup de travail à faire.*
> *J'étais contente que tu **sois** auprès de moi hier soir.*
> *J'aimerais bien qu'il me **rende** mes livres.*

– lorsqu'on veut exprimer un fait futur par rapport à celui exprimé par la principale (postériorité) :
> *Je ne crois pas qu'il **vienne** demain.*
> *Je t'apporterai mes cours afin que tu **puisses** réviser.*
> *Il exagère : il voulait que je lui **rapporte** ses livres le lendemain.*
> *Je préférerais que vous **reveniez** demain.*

• Le **passé** est employé dans une subordonnée au subjonctif avec un verbe au présent, au passé (passé composé, imparfait, passé simple...), au futur simple de l'indicatif ou au présent du conditionnel dans la principale :

– lorsqu'on veut exprimer un fait qui se déroule avant celui de la principale (antériorité) :
> *Je regrette que tu **sois parti** si tôt hier.*
> *J'ai regretté que tu **sois parti** si tôt.*
> *J'arriverai avant que tu **sois parti**.*
> *J'aimerais que tu te **sois trompé**.*

– lorsqu'on veut exprimer un fait qui se déroule avant un moment défini :
> *Je veux que vous **ayez terminé** votre travail pour demain soir.*
> *Vous regarderez la télévision jusqu'à ce que votre père et moi **soyons rentrés**.*

• L'**imparfait** et le **plus-que-parfait** devraient se substituer respectivement au présent et au passé lorsque le verbe de la principale est à un temps du passé de l'indicatif ou au conditionnel, mais cet usage n'est plus guère en vigueur que dans la langue soutenue et littéraire :
> *Il a exigé qu'elle **revienne**.* (langue courante)
> *Il exigea qu'elle **revînt**.* (langue soutenue)
> *Il ne m'a rien dit avant qu'elle **soit arrivée**.* (langue courante)
> *Il ne m'a rien dit avant qu'elle **fût arrivée**.* (langue soutenue)

Le conditionnel

Le conditionnel a deux valeurs : une valeur de mode et une valeur de temps.

LE CONDITIONNEL MODE

Le conditionnel mode exprime généralement une idée dont la réalisation dépend d'une condition, exprimée ou sous-entendue.

Présent

- Pour exprimer un fait soumis à une condition, exprimée ou non :
  *Si vous nous accompagniez, cela nous **ferait** plaisir.*
  *Cela me **ferait** plaisir de vous voir.*

- Pour exprimer un désir, un souhait, un rêve ou un regret :
  *J'**aimerais** bien qu'il arrive.*
  *Je **voudrais** déjà être à demain.*
  *Nous **irions** bien à Venise, mais nous n'avons pas d'argent.*

- Pour formuler une demande avec politesse :
  ***Pourriez**-vous me dire l'heure, s'il vous plaît ?*
  ***Voudriez**-vous avoir la gentillesse de m'aider à porter ces paquets ?*

- Pour marquer l'étonnement dans une phrase exclamative :
  *Vous **feriez** ça pour moi !*

- Pour exprimer une possibilité, une probabilité, une apparence :
  *On **dirait** qu'il a peur.*
  *Il se **pourrait** bien qu'il ne vienne pas.*

- Pour exprimer le défi avec le verbe *vouloir* :
  *Il prétend qu'il est le meilleur. Je **voudrais** bien voir ça.*

Passé 1ʳᵉ forme

- Pour indiquer qu'un fait aurait eu lieu dans le passé si une ou plusieurs conditions avaient été remplies :
  *Je **serais venu** t'aider si tu m'avais prévenu.*
  *Si tu avais travaillé plus, tu **aurais réussi** ton examen.*

- Pour relater un fait qui demande à être vérifié :
  *Selon certaines rumeurs, le Président **aurait démissionné**. Cette information demande à être confirmée.*

– le participe passé s'accorde en genre et en nombre avec le second antécédent lorsque les éléments coordonnés sont considérés isolément :
> *C'est un homme ou une femme que l'on a enlevée.*

• Le participe passé a pour c.o.d. le pronom relatif *que* représentant le groupe *un(e) des…, un(e) de…* :
– le participe passé s'accorde le plus souvent en genre et en nombre avec le nom pluriel complément :
> *Je te rapporte déjà un des livres que tu m'avais prêtés.*

– le participe passé s'accorde avec *un(e)* si l'on met l'accent sur l'élément isolé considéré :
> *J'ai cassé un des verres que tu m'as offert.*

• Le verbe a pour c.o.d. un nom collectif suivi d'un complément au pluriel :
– le participe passé s'accorde en genre et en nombre avec le nom collectif si l'on met l'accent sur ce dernier et la quantité qu'il désigne :
> *Qu'il soit malade ne m'étonne pas, vu la quantité de bonbons qu'il a mangée.*
> *Le peu d'efforts qu'il a fait a payé.*

– le participe passé s'accorde en genre et en nombre avec le complément au pluriel si c'est sur ce dernier qu'on veut mettre l'accent :
> *Qu'il soit malade ne m'étonne pas, vu la quantité de bonbons qu'il a mangés.*
> *Le peu d'efforts qu'il a faits a payé.*

• Le participe passé de verbes employés intransitivement comme *courir*, *coûter*, *dormir*, *durer*, *marcher*, *mesurer*, *peser*, *régner*, *reposer*, *vivre*, *valoir*, etc., reste invariable, car le complément qui accompagne ces verbes et que l'on prend parfois pour un c.o.d. est en fait un complément circonstanciel :
> *Les deux heures que j'ai dormi m'ont fait du bien.*
> *Je ne regrette pas les cent francs que ce livre m'a coûté.*
> *Les soixante-dix années qu'il a vécu ont été bien remplies.*
> *Les cent kilos qu'il a pesé ne sont plus qu'un mauvais souvenir.*

• Les verbes *courir*, *coûter*, *peser*, *valoir* et *vivre* sont employés transitivement dans un sens différent de leur sens habituel ; le participe passé s'accorde normalement en genre et en nombre avec le c.o.d. :
> *Tu n'imagines pas les dangers que j'ai courus.*
> *Si tu savais les efforts que ce travail m'a coûtés !*

• Les participes passés *dit*, *dû*, *cru*, *pensé*, *permis*, *prévu*, *pu*, *su*, *voulu* restent invariables lorsqu'ils ont pour c.o.d. :
– un infinitif :
> *Je n'ai pas reçu les encouragements que j'aurais pensé recevoir.*
> *Il a fait toutes les démarches qu'il a cru devoir faire.*

– une proposition ou un infinitif sous-entendus :
> *Il a fait toutes les démarches qu'il avait dit (qu'il ferait).*
> *Elle m'a rendu tous les services qu'elle a pu (me rendre).*

• Le participe passé, dans des constructions impersonnelles comme *il y a*, *il faut*, *il neige*, etc., reste invariable :
*Il y a **eu** des centaines de lettres de réclamation.*

• Le participe passé est employé avec le pronom personnel *en* :
– il reste invariable si *en* est employé seul :
*Des fruits de mer, nous en avons mang**é** tout l'été.*
*Des nouvelles de mes parents, j'en ai reç**u** hier.*
– il peut s'accorder, mais ce n'est pas obligatoire, lorsque *en* est accompagné d'un adverbe de quantité :
*Des fruits de mer, combien on en a mang**é(s)** cet été !*

Le participe passé employé sans auxiliaire

Le participe passé employé seul suit les règles d'accord de l'adjectif qualificatif.
Lorsqu'il est :
– épithète, il s'accorde en genre et en nombre avec le nom auquel il se rapporte :
*Elle a un visage fatigu**é** ces derniers temps.*
– attribut du sujet, il s'accorde en genre et en nombre avec le sujet :
*Emma semble fatigu**ée** ces derniers temps.*
– attribut du c.o.d., il s'accorde en genre et en nombre avec le c.o.d. :
*Je trouve Emma fatigu**ée** ces derniers temps.*
– apposé, il s'accorde en genre et en nombre avec le nom auquel il est apposé :
*Fatigu**ée**, Emma décida d'aller faire une sieste.*

Les cas difficiles

• Les participes *attendu, compris (non compris, y compris), entendu, excepté, ôté, supposé, vu* :
– restent invariables lorsqu'ils sont placés devant le nom :
*Toutes les pièces ont été nettoyées, y compri**s** la cave.*
*Tous ont été invités, except**é** les enfants.*
– s'accordent en genre et en nombre avec le nom auquel ils se rapportent lorsqu'ils sont placés derrière ce nom :
*Toutes les pièces ont été nettoyées, la cave compri**se**.*
*Tous ont été invités, les enfants except**és**.*

• *Étant donné, mis à part, passé*, même lorsqu'ils sont placés devant le nom, peuvent s'accorder en genre et en nombre avec ce nom :

*Pass**ées** les vacances, ils ne se revirent plus.*
*Pass**é** les vacances, ils ne se revirent plus.*

Ils s'accordent obligatoirement quand ils sont placés derrière le nom :

*Les vacances pass**ées**, ils ne se revirent plus.*

• *Ci-annexé, ci-inclus, ci-joint* :
– restent invariables lorsqu'ils ont la valeur d'un adverbe (pour vérifier si c'est le cas, on peut les remplacer par *ci-dessus, ci-dessous* ou *ci-contre*) :

*Veuillez trouver ci-join**t** (ci-dessous) les pièces demandées.*
*Vous trouverez ci-annex**é** (ci-contre) les pièces demandées.*
*Ci-incl**us** (ci-contre) les factures déjà payées.*

– s'accordent en genre et en nombre avec le nom auquel ils se rapportent lorsqu'ils ont la valeur d'un adjectif qualificatif (pour vérifier si c'est le cas, on peut alors les remplacer par un adjectif qualificatif quelconque) :

*Veuillez examiner les pièces ci-joint**es** (comptables).*
*Vous lirez les pièces ci-annex**ées** (manuscrites).*
*Les factures ci-incl**uses** (principales) ont déjà été payées.*

• *Approuvé, lu, vu* sont toujours invariables lorsqu'ils sont employés dans les locutions :
– « Lu et approuvé » :

*Faites précéder votre signature de la mention « L**u** et approuv**é** ».*

– « Vu » :

*Il fait toujours précéder sa signature de la mention « V**u** ».*

L'ACCORD DU PARTICIPE PASSÉ DES VERBES PRONOMINAUX

Pour bien accorder le participe passé des verbes pronominaux, il faut d'abord savoir de quel type est le verbe pronominal employé. On distingue les verbes pronominaux de sens réfléchi ou réciproque, les verbes pronominaux de sens passif et les verbes essentiellement pronominaux :

– un verbe pronominal est de « sens réfléchi » lorsque le sujet exerce l'action sur lui-même :
▨ *Emma se lave.*
– un verbe pronominal est de « sens réciproque » lorsque deux ou plusieurs êtres exercent une action l'un sur l'autre (les uns sur les autres) :
▨ *Ils se regardent.*
– un verbe est essentiellement pronominal lorsqu'il n'existe qu'à la forme pronominale. Dans ce type de verbes, le pronom *se* n'occupe aucune fonction :
▨ *Il se sont enfuis.*
– un verbe pronominal est de « sens passif » lorsque le sujet subit l'action :
▨ *Mon livre se vend très bien. (est beaucoup vendu)*

Les verbes pronominaux de sens réfléchi ou réciproque

• Cas n° 1 :
Lorsque le pronom réfléchi occupe la fonction de complément d'objet direct du verbe, le participe passé s'accorde en genre et en nombre avec le sujet :

*Emma s' est lavé**e***
  sujet   c.o.d.
→ *Emma a lavé « qui » ? « se »*

*Elles se sont lavé**es***
→ *Elles ont lavé « qui » ? « se »*

*Ils se sont regard**és***
→ *Ils ont regardé « qui » ? « se »*

• Cas n° 2 :
Lorsque le pronom réfléchi occupe la fonction de complément d'objet indirect du verbe, le participe passé reste invariable :

*Emma s'est lav**é** les mains*
  c.o.i.
→ *Emma a lavé les mains « à qui » ? « à se »*

*Ils se sont lav**é** les mains*
→ *Ils ont lavé les mains « à qui » ? « à se »*

*Elles se sont sour**i***
→ *Elles ont souri « à qui » ? « à se »*

Attention !
Lorsque le verbe pronominal est précédé d'un complément d'objet direct, le participe passé s'accorde en genre et en nombre avec le c.o.d., même si le pronom réfléchi occupe la fonction de complément d'objet indirect :
▨ *La lettre qu'ils **se** sont écrit**e*** → *La lettre qu'ils ont écrite « à qui » ?*
      c.o.d.   c.o.i.   *« à se »*

Les verbes essentiellement pronominaux et les verbes pronominaux de sens passif

> Le participe passé s'accorde toujours en genre et en nombre avec le sujet :
>
> *Ils se sont en**fuis**.*
> sujet
> *Ses livres se sont ven**dus** par centaines de milliers.*
> *Ils se sont souven**us** de toi.*

Les cas difficiles

• Le participe passé des verbes *se complaire, se convenir, se déplaire, se mentir, se nuire, se parler (à soi), se plaire, se ressembler, se rire de, se sourire, se succéder, se suffire, se survivre, s'en vouloir* reste toujours invariable :
 Ils se sont déplu au premier regard.
 Ils se sont ri de nous.
 Elles se sont souri en cachette.
 Ils s'en sont toujours voulu de ne pas avoir acheté cette maison.

• Le verbe à la forme pronominale est suivi d'un infinitif :
– lorsque l'infinitif est de sens actif, le participe passé reste invariable :
 Elle s'est entendu appeler à l'aide dans son rêve.
– lorsque l'infinitif est de sens passif, le participe passé s'accorde en genre et en nombre avec le sujet :
 Elle marchait dans la rue lorsqu'elle s'est entendue appeler par son prénom.

• Le participe du verbe *se faire* est toujours invariable :
 Elle s'est fait faire une robe magnifique.
 Les enfants se sont fait gronder.
Sauf lorsqu'il est suivi d'un attribut du c.o.d. ; dans ce cas, il s'accorde en genre et en nombre avec l'attribut :
 Elle s'est faite religieuse.

Tableaux de conjugaison

Tableaux

avoir

INDICATIF

Présent		Imparfait		Passé composé			Plus-que-parfait		
j'	ai	j'	avais	j'	ai	eu	j'	avais	eu
tu	as	tu	avais	tu	as	eu	tu	avais	eu
il, elle	a	il, elle	avait	il, elle	a	eu	il, elle	avait	eu
nous	avons	nous	avions	nous	avons	eu	nous	avions	eu
vous	avez	vous	aviez	vous	avez	eu	vous	aviez	eu
ils, elles	ont	ils, elles	avaient	ils, elles	ont	eu	ils, elles	avaient	eu

Passé simple		Futur simple		Passé antérieur			Futur antérieur		
j'	eus	j'	aurai	j'	eus	eu	j'	aurai	eu
tu	eus	tu	auras	tu	eus	eu	tu	auras	eu
il, elle	eut	il, elle	aura	il, elle	eut	eu	il, elle	aura	eu
nous	eûmes	nous	aurons	nous	eûmes	eu	nous	aurons	eu
vous	eûtes	vous	aurez	vous	eûtes	eu	vous	aurez	eu
ils, elles	eurent	ils, elles	auront	ils, elles	eurent	eu	ils, elles	auront	eu

SUBJONCTIF

Présent		Imparfait		Passé			Plus-que-parfait		
Il faut que...		*Il fallait que...*		*Il faut que...*			*Il fallait que...*		
j'	aie	j'	eusse	j'	aie	eu	j'	eusse	eu
tu	aies	tu	eusses	tu	aies	eu	lu	eusses	eu
il, elle	ait	il, elle	eût	il, elle	ait	eu	il, elle	eût	eu
nous	ayons	nous	eussions	nous	ayons eu		nous	eussions	eu
vous	ayez	vous	eussiez	vous	ayez eu		vous	eussiez	eu
ils, elles	aient	ils, elles	eussent	ils, elles	aient	eu	ils, elles	eussent	eu

CONDITIONNEL

Présent		Passé 1re forme			Passé 2e forme		
j'	aurais	j'	aurais	eu	j'	eusse	eu
tu	aurais	tu	aurais	eu	tu	eusses	eu
il, elle	aurait	il, elle	aurait	eu	il, elle	eût	eu
nous	aurions	nous	aurions	eu	nous	eussions	eu
vous	auriez	vous	auriez	eu	vous	eussiez	eu
ils, elles	auraient	ils, elles	auraient	eu	ils, elles	eussent	eu

IMPÉRATIF

Présent	Passé
aie	aie eu
ayons	ayons eu
ayez	ayez eu

INFINITIF

Présent	Passé
avoir	avoir eu

PARTICIPE

Présent	Passé
ayant	eu(e)
	ayant eu

être

Présent		**Imparfait**		**Passé composé**			**Plus-que-parfait**		
je	suis	j'	étais	j'	ai	été	j'	avais	été
tu	es	tu	étais	tu	as	été	tu	avais	été
il, elle	est	il, elle	était	il, elle	a	été	il, elle	avait	été
nous	sommes	nous	étions	nous	avons	été	nous	avions	été
vous	êtes	vous	étiez	vous	avez	été	vous	aviez	été
ils, elles	sont	ils, elles	étaient	ils, elles	ont	été	ils, elles	avaient	été

Passé simple		**Futur simple**		**Passé antérieur**			**Futur antérieur**		
je	fus	je	serai	j'	eus	été	j'	aurai	été
tu	fus	tu	seras	tu	eus	été	tu	auras	été
il, elle	fut	il, elle	sera	il, elle	eut	été	il, elle	aura	été
nous	fûmes	nous	serons	nous	eûmes	été	nous	aurons	été
vous	fûtes	vous	serez	vous	eûtes	été	vous	aurez	été
ils, elles	furent	ils, elles	seront	ils, elles	eurent	été	ils, elles	auront	été

Présent		**Imparfait**		**Passé**			**Plus-que-parfait**		
Il faut que...		*Il fallait que...*		*Il faut que...*			*Il fallait que...*		
je	sois	je	fusse	j'	aie	été	j'	eusse	été
tu	sois	tu	fusses	tu	aies	été	tu	eusses	été
il, elle	soit	il, elle	fût	il, elle	ait	été	il, elle	eût	été
nous	soyons	nous	fussions	nous	ayons	été	nous	eussions	été
vous	soyez	vous	fussiez	vous	ayez	été	vous	eussiez	été
ils, elles	soient	ils, elles	fussent	ils, elles	aient	été	ils, elles	eussent	été

Présent		**Passé 1re forme**			**Passé 2e forme**		
je	serais	j'	aurais	été	j'	eusse	été
tu	serais	tu	aurais	été	tu	eusses	été
il, elle	serait	il, elle	aurait	été	il, elle	eût	été
nous	serions	nous	aurions	été	nous	eussions	été
vous	seriez	vous	auriez	été	vous	eussiez	été
ils, elles	seraient	ils, elles	auraient	été	ils, elles	eussent	été

Présent	**Passé**	**Présent**	**Passé**	**Présent**	**Passé**
sois	aie été	être	avoir été	étant	été
soyons	ayons été				ayant été
soyez	ayez été				

Auxiliaire

être aimé

INDICATIF

Présent		Imparfait		Passé composé			Plus-que-parfait		
je	**suis** aimé(e)	j'	**étais** aimé(e)	j'	ai	**été** aimé(e)	j'	avais	**été** aimé(e)
tu	**es** aimé(e)	tu	**étais** aimé(e)	tu	as	**été** aimé(e)	tu	avais	**été** aimé(e)
il, elle	**est** aimé(e)	il, elle	**était** aimé(e)	il, elle	a	**été** aimé(e)	il, elle	avait	**été** aimé(e)
nous	**sommes** aimé(e)s	nous	**étions** aimé(e)s	nous	avons	**été** aimé(e)s	nous	avions	**été** aimé(e)s
vous	**êtes** aimé(e)s	vous	**étiez** aimé(e)s	vous	avez	**été** aimé(e)s	vous	aviez	**été** aimé(e)s
ils, elles	**sont** aimé(e)s	ils, elles	**étaient** aimé(e)s	ils, elles	ont	**été** aimé(e)s	ils, elles	avaient	**été** aimé(e)s

Passé simple		Futur simple		Passé antérieur			Futur antérieur		
je	**fus** aimé(e)	je	**serai** aimé(e)	j'	eus	**été** aimé(e)	j'	aurai	**été** aimé(e)
tu	**fus** aimé(e)	tu	**seras** aimé(e)	tu	eus	**été** aimé(e)	tu	auras	**été** aimé(e)
il, elle	**fut** aimé(e)	il, elle	**sera** aimé(e)	il, elle	eut	**été** aimé(e)	il, elle	aura	**été** aimé(e)
nous	**fûmes** aimé(e)s	nous	**serons** aimé(e)s	nous	eûmes	**été** aimé(e)s	nous	aurons	**été** aimé(e)s
vous	**fûtes** aimé(e)s	vous	**serez** aimé(e)s	vous	eûtes	**été** aimé(e)s	vous	aurez	**été** aimé(e)s
ils, elles	**furent** aimé(e)s	ils, elles	**seront** aimé(e)s	ils, elles	eurent	**été** aimé(e)s	ils, elles	auront	**été** aimé(e)s

SUBJONCTIF

Présent		Imparfait		Passé			Plus-que-parfait		
Il faut que...		*Il fallait que...*		*Il faut que...*			*Il fallait que...*		
je	**sois** aimé(e)	je	**fusse** aimé(e)	j'	aie	**été** aimé(e)	j'	eusse	**été** aimé(e)
tu	**sois** aimé(e)	tu	**fusses** aimé(e)	tu	aies	**été** aimé(e)	tu	eusses	**été** aimé(e)
il, elle	**soit** aimé(e)	il, elle	**fût** aimé(e)	il, elle	ait	**été** aimé(e)	il, elle	eût	**été** aimé(e)
nous	**soyons** aimé(e)s	nous	**fussions** aimé(e)s	nous	ayons	**été** aimé(e)s	nous	eussions	**été** aimé(e)s
vous	**soyez** aimé(e)s	vous	**fussiez** aimé(e)s	vous	ayez	**été** aimé(e)s	vous	eussiez	**été** aimé(e)s
ils, elles	**soient** aimé(e)s	ils, elles	**fussent** aimé(e)s	ils, elles	aient	**été** aimé(e)s	ils, elles	eussent	**été** aimé(e)s

CONDITIONNEL

Présent		Passé 1re forme			Passé 2e forme		
je	**serais** aimé(e)	j'	aurais	**été** aimé(e)	j'	eusse	**été** aimé(e)
tu	**serais** aimé(e)	tu	aurais	**été** aimé(e)	tu	eusses	**été** aimé(e)
il, elle	**serait** aimé(e)	il, elle	aurait	**été** aimé(e)	il, elle	eût	**été** aimé(e)
nous	**serions** aimé(e)s	nous	aurions	**été** aimé(e)s	nous	eussions	**été** aimé(e)s
vous	**seriez** aimé(e)s	vous	auriez	**été** aimé(e)s	vous	eussiez	**été** aimé(e)s
ils, elles	**seraient** aimé(e)s	ils, elles	auraient	**été** aimé(e)s	ils, elles	eussent	**été** aimé(e)s

IMPÉRATIF

Présent	Passé	
sois aimé(e)	aie	**été** aimé(e)
soyons aimé(e)s	ayons	**été** aimé(e)s
soyez aimé(e)s	ayez	**été** aimé(e)s

INFINITIF

Présent	Passé
être aimé(e)	avoir **été** aimé(e)

PARTICIPE

Présent	Passé
étant aimé(e)	aimé(e)
	(ayant **été**) aimé(e)

s'envoler

INDICATIF

Présent		Imparfait		Passé composé			Plus-que-parfait		
je **m'**	envole	je **m'**	envolais	je **me**	suis	envolé(e)	je **m'**	étais	envolé(e)
tu **t'**	envoles	tu **t'**	envolais	tu **t'**	es	envolé(e)	tu **t'**	étais	envolé(e)
il, elle **s'**	envole	il, elle **s'**	envolait	il, elle **s'**	est	envolé(e)	il, elle **s'**	était	envolé(e)
nous **nous** envolons		nous **nous** envolions		nous **nous** sommes		envolé(e)s	nous **nous** étions		envolé(e)s
vous **vous** envolez		vous **vous** envoliez		vous **vous** êtes		envolé(e)s	vous **vous** étiez		envolé(e)s
ils, elles **s'** envolent		ils, elles **s'** envolaient		ils, elles **se** sont		envolé(e)s	ils, elles **s'** étaient		envolé(e)s

Passé simple		Futur simple		Passé antérieur			Futur antérieur		
je **m'**	envolai	je **m'**	envolerai	je **me**	fus	envolé(e)	je **me**	serai	envolé(e)
tu **t'**	envolas	tu **t'**	envoleras	tu **te**	fus	envolé(e)	tu **te**	seras	envolé(e)
il, elle **s'**	envola	il, elle **s'**	envolera	il, elle **se**	fut	envolé(e)	il, elle **se**	sera	envolé(e)
nous **nous** envolâmes		nous **nous** envolerons		nous **nous** fûmes		envolé(e)s	nous **nous** serons		envolé(e)s
vous **vous** envolâtes		vous **vous** envolerez		vous **vous** fûtes		envolé(e)s	vous **vous** serez		envolé(e)s
ils, elles **s'** envolèrent		ils, elles **s'** envoleront		ils, elles **se** furent		envolé(e)s	ils, elles **se** seront		envolé(e)s

SUBJONCTIF

Présent		Imparfait		Passé			Plus-que-parfait		
Il faut **que**...		Il fallait **que**...		Il faut **que**...			Il fallait **que**...		
je **m'**	envole	je **m'**	envolasse	je **me**	sois	envolé(e)	je **me**	fusse	envolé(e)
tu **t'**	envoles	tu **t'**	envolasses	tu **te**	sois	envolé(e)	tu **te**	fusses	envolé(e)
il, elle **s'**	envole	il, elle **s'**	envolât	il, elle **se**	soit	envolé(e)	il, elle **se**	fût	envolé(e)
nous **nous** envolions		nous **nous** envolassions		nous **nous** soyons		envolé(e)s	nous **nous** fussions		envolé(e)s
vous **vous** envoliez		vous **vous** envolassiez		vous **vous** soyez		envolé(e)s	vous **vous** fussiez		envolé(e)s
ils, elles **s'** envolent		ils, elles **s'** envolassent		ils, elles **se** soient		envolé(e)s	ils, elles **se** fussent		envolé(e)s

CONDITIONNEL

Présent		Passé 1re forme			Passé 2e forme		
je **m'**	envolerais	je **me**	serais	envolé(e)	je **me**	fusse	envolé(e)
tu **t'**	envolerais	tu **te**	serais	envolé(e)	tu **te**	fusses	envolé(e)
il, elle **s'**	envolerait	il, elle **se**	serait	envolé(e)	il, elle **se**	fût	envolé(e)
nous **nous** envolerions		nous **nous** serions		envolé(e)s	nous **nous** fussions		envolé(e)s
vous **vous** envoleriez		vous **vous** seriez		envolé(e)s	vous **vous** fussiez		envolé(e)s
ils, elles **s'** envoleraient		ils, elles **se** seraient		envolé(e)s	ils, elles **se** fussent		envolé(e)s

IMPÉRATIF

Présent	Passé
envole-**toi**	(inusité)
envolons-**nous**	
envolez-**vous**	

INFINITIF

Présent	Passé
s'envoler	s'être envolé(e)

PARTICIPE

Présent	Passé
s'envolant	s'étant envolé(e)

F. pronominale

● VERBES MODÈLES DU 1er GROUPE

verbes en	n°	modèle	autres verbes	particularités orthographiques
-er	81	parler	chanter, aimer...	présent en -e, -es, -e, -ons, -ez, -ent ; p. simple en -ai, -as, -a, -âmes, -âtes, -èrent ; p. passé en -é(e) ; p. pst en -ant
-cer	63	commencer	avancer, effacer...	alternance c/ç
-scer	59	acquiescer	s'immiscer	alternance sc/sç
-quer	78	marquer	vaquer, appliquer...	permanence de qu
-ger	77	manger	déménager, bouger...	alternance g/ge
-guer	68	distinguer	naviguer, conjuguer...	permanence de gu
arguer	61			emploi du tréma
-ayer	82	payer	balayer, rayer...	alternance y/i y suivi de i y ou i suivis de e muet
-eyer	73	grasseyer	faseyer, volleyer...	permanence du y y suivi de i y suivi de e muet
-oyer	69	employer	aboyer, côtoyer...	alternance y/i y suivi de i i suivi de e muet
-envoyer	71	envoyer	renvoyer	alternance y/i y suivi de i changement de radical au futur simple de l'indicatif et au présent du conditionnel
-uyer	70	ennuyer	essuyer, appuyer...	alternance y/i y suivi de i i suivi de e muet
-ier	83	prier	crier, manier...	doublement du i i suivi de e muet
-gner	89	signer	cogner, gagner...	gn suivi de i
-iller	62	briller	piller, habiller...	ll suivi de i

1er groupe

54

-llier	80	pallier	allier, rallier...	doublement du i i suivi de e muet
-ailler	91	travailler	tailler, bailler...	ll suivi de i
-eiller	87	réveiller	surveiller, conseiller...	ll suivi de i
-ouiller	79	mouiller	rouiller, débrouiller...	ll suivi de i

-e(m, n, p, s, v, vr)er	88	semer	lever, mener, peser, sevrer...	alternance e/è
-ecer	66	dépecer	clamecer	alternance e/è alternance c/ç
-eter	58	acheter	breveter, fureter...	alternance e/è
	75	jeter	caqueter, cacheter...	doublement du t
-eler	72	geler	démanteler, écarteler...	alternance e/è
	60	appeler	chanceler, épeler...	doublement du l
-eller	74	interpeller	exceller, libeller...	permanence des deux l ll suivi de i

-éer	64	créer	agréer, suppléer...	é suivi de e muet
rapiécer	84			alternance é/è alternance c/ç
-é(br, ch, cr, d, gl, gr, j, l, m, n, p, r, s, t, tr, vr)er	57	accéder	considérer, ébrécher, exécrer, galéjer, léser, pénétrer, recéper, régler...	alternance é/è
-éger	56	abréger	alléger, protéger	alternance é/è alternance g/ge
-égner	85	régner	imprégner	alternance é/è gn suivi de i
-éguer	65	déléguer	alléguer, léguer...	alternance é/è permanence de gu
-équer	67	disséquer	hypothéquer, réséquer...	alternance é/è permanence de qu

| -uer | 86 | remuer | suer, muer... | u suivi de e muet |
| -ouer | 76 | louer | trouer, clouer... | u suivi de e muet |

| -er | 90 | tomber | s'affairer, arriver... | temps composés avec
l'auxiliaire être |

1ᵉʳ groupe

55

é devient è :
- aux trois personnes du singulier et à la 3e personne du pluriel du présent de l'indicatif et du subjonctif;
- à la 2e personne du singulier du présent de l'impératif.
▶ Au futur simple de l'indicatif et au présent du conditionnel, le **é** est généralement prononcé [ɛ], d'où la tolérance d'écriture maintenant admise qui consiste à remplacer le **é** par un **è** à toutes les personnes de ces temps.
● **g** devient **ge** devant **a** et **o** pour garder le son [ʒ].

abréger

INDICATIF

Présent		Imparfait		Passé composé			Plus-que-parfait		
j'	abrège	j'	abrégeais	j'	ai	abrégé	j'	avais	abrégé
tu	abrèges	tu	abrégeais	tu	as	abrégé	tu	avais	abrégé
il, elle	abrège	il, elle	abrégeait	il, elle	a	abrégé	il, elle	avait	abrégé
nous	abrégeons	nous	abrégions	nous	avons	abrégé	nous	avions	abrégé
vous	abrégez	vous	abrégiez	vous	avez	abrégé	vous	aviez	abrégé
ils, elles	abrègent	ils, elles	abrégeaient	ils, elles	ont	abrégé	ils, elles	avaient	abrégé

Passé simple		Futur simple		Passé antérieur			Futur antérieur		
j'	abrégeai	j'	abrégerai	j'	eus	abrégé	j'	aurai	abrégé
tu	abrégeas	tu	abrégeras	tu	eus	abrégé	tu	auras	abrégé
il, elle	abrégea	il, elle	abrégera	il, elle	eut	abrégé	il, elle	aura	abrégé
nous	abrégeâmes	nous	abrégerons	nous	eûmes	abrégé	nous	aurons	abrégé
vous	abrégeâtes	vous	abrégerez	vous	eûtes	abrégé	vous	aurez	abrégé
ils, elles	abrégèrent	ils, elles	abrégeront	ils, elles	eurent	abrégé	ils, elles	auront	abrégé

SUBJONCTIF

Présent		Imparfait		Passé			Plus-que-parfait		
Il faut que...		Il fallait que...		Il faut que...			Il fallait que...		
j'	abrège	j'	abrégeasse	j'	aie	abrégé	j'	eusse	abrégé
tu	abrèges	tu	abrégeasses	tu	aies	abrégé	tu	eusses	abrégé
il, elle	abrège	il, elle	abrégeât	il, elle	ait	abrégé	il, elle	eût	abrégé
nous	abrégions	nous	abrégeassions	nous	ayons	abrégé	nous	eussions	abrégé
vous	abrégiez	vous	abrégeassiez	vous	ayez	abrégé	vous	eussiez	abrégé
ils, elles	abrègent	ils, elles	abrégeassent	ils, elles	aient	abrégé	ils, elles	eussent	abrégé

CONDITIONNEL

Présent		Passé 1re forme			Passé 2e forme		
j'	abrégerais	j'	aurais	abrégé	j'	eusse	abrégé
tu	abrégerais	tu	aurais	abrégé	tu	eusses	abrégé
il, elle	abrégerait	il, elle	aurait	abrégé	il, elle	eût	abrégé
nous	abrégerions	nous	aurions	abrégé	nous	eussions	abrégé
vous	abrégeriez	vous	auriez	abrégé	vous	eussiez	abrégé
ils, elles	abrégeraient	ils, elles	auraient	abrégé	ils, elles	eussent	abrégé

IMPÉRATIF

Présent	Passé
abrège	aie abrégé
abrégeons	ayons abrégé
abrégez	ayez abrégé

INFINITIF

Présent	Passé
abréger	avoir abrégé

PARTICIPE

Présent	Passé
abrégeant	abrégé(e)
	ayant abrégé

é devient **è** :
- aux trois personnes du singulier et à la 3e personne du pluriel du présent de l'indicatif et du subjonctif ;
- à la 2e personne du singulier du présent de l'impératif.
▶ Au futur simple de l'indicatif et au présent du conditionnel, le **é** est généralement prononcé [ɛ], d'où la tolérance d'écriture admise qui consiste à remplacer le **é** par un **è** à toutes les personnes de ces temps.
▶ Les verbes en **-é(consonnes)er** correspondent à : **-é(br, ch, cr, d, gl, gr, j, l, m, n, p, r, s, t, tr, vr)er**.

accéder

INDICATIF

Présent		Imparfait		Passé composé			Plus-que-parfait		
j'	accède	j'	accédais	j'	ai	accédé	j'	avais	accédé
tu	accèdes	tu	accédais	tu	as	accédé	tu	avais	accédé
il, elle	accède	il, elle	accédait	il, elle	a	accédé	il, elle	avait	accédé
nous	accédons	nous	accédions	nous	avons	accédé	nous	avions	accédé
vous	accédez	vous	accédiez	vous	avez	accédé	vous	aviez	accédé
ils, elles	accèdent	ils, elles	accédaient	ils, elles	ont	accédé	ils, elles	avaient	accédé

Passé simple		Futur simple		Passé antérieur			Futur antérieur		
j'	accédai	j'	accéderai	j'	eus	accédé	j'	aurai	accédé
tu	accédas	tu	accéderas	tu	eus	accédé	tu	auras	accédé
il, elle	accéda	il, elle	accédera	il, elle	eut	accédé	il, elle	aura	accédé
nous	accédâmes	nous	accéderons	nous	eûmes	accédé	nous	aurons	accédé
vous	accédâtes	vous	accéderez	vous	eûtes	accédé	vous	aurez	accédé
ils, elles	accédèrent	ils, elles	accéderont	ils, elles	eurent	accédé	ils, elles	auront	accédé

SUBJONCTIF

Présent		Imparfait		Passé			Plus-que-parfait		
Il faut que...		Il fallait que...		Il faut que...			Il fallait que...		
j'	accède	j'	accédasse	j'	aie	accédé	j'	eusse	accédé
tu	accèdes	tu	accédasses	tu	aies	accédé	tu	eusses	accédé
il, elle	accède	il, elle	accédât	il, elle	ait	accédé	il, elle	eût	accédé
nous	accédions	nous	accédassions	nous	ayons	accédé	nous	eussions	accédé
vous	accédiez	vous	accédassiez	vous	ayez	accédé	vous	eussiez	accédé
ils, elles	accèdent	ils, elles	accédassent	ils, elles	aient	accédé	ils, elles	eussent	accédé

CONDITIONNEL

Présent		Passé 1re forme			Passé 2e forme		
j'	accéderais	j'	aurais	accédé	j'	eusse	accédé
tu	accéderais	tu	aurais	accédé	tu	eusses	accédé
il, elle	accéderait	il, elle	aurait	accédé	il, elle	eût	accédé
nous	accéderions	nous	aurions	accédé	nous	eussions	accédé
vous	accéderiez	vous	auriez	accédé	vous	eussiez	accédé
ils, elles	accéderaient	ils, elles	auraient	accédé	ils, elles	eussent	accédé

IMPÉRATIF

Présent	Passé
accède	aie accédé
accédons	ayons accédé
accédez	ayez accédé

INFINITIF

Présent	Passé
accéder	avoir accédé

PARTICIPE

Présent	Passé
accédant	accédé
	ayant accédé

1er groupe

VERBES EN -eter

e devient **è** :
- aux trois personnes du singulier et à la 3e personne du pluriel du présent de l'indicatif et du subjonctif ;
- à la 2e personne du singulier du présent de l'impératif ;
- à toutes les personnes du futur simple de l'indicatif et du présent du conditionnel.
► Se conjuguent sur le modèle d'*acheter* : *béguter, bouveter, breveter, corseter, crocheter, fileter, fureter, haleter, préacheter, racheter.*
Les autres verbes en **-eter** se conjuguent sur le modèle de *jeter* (cf. *jeter*, 75).

acheter

INDICATIF

Présent	Imparfait	Passé composé	Plus-que-parfait
j' achète	j' achetais	j' ai acheté	j' avais acheté
tu achètes	tu achetais	tu as acheté	tu avais acheté
il, elle achète	il, elle achetait	il, elle a acheté	il, elle avait acheté
nous achetons	nous achetions	nous avons acheté	nous avions acheté
vous achetez	vous achetiez	vous avez acheté	vous aviez acheté
ils, elles achètent	ils, elles achetaient	ils, elles ont acheté	ils, elles avaient acheté

Passé simple	Futur simple	Passé antérieur	Futur antérieur
j' achetai	j' achèterai	j' eus acheté	j' aurai acheté
tu achetas	tu achèteras	tu eus acheté	tu auras acheté
il, elle acheta	il, elle achètera	il, elle eut acheté	il, elle aura acheté
nous achetâmes	nous achèterons	nous eûmes acheté	nous aurons acheté
vous achetâtes	vous achèterez	vous eûtes acheté	vous aurez acheté
ils, elles achetèrent	ils, elles achèteront	ils, elles eurent acheté	ils, elles auront acheté

SUBJONCTIF

Présent	Imparfait	Passé	Plus-que-parfait
Il faut *que*...	Il fallait *que*...	Il faut *que*...	Il fallait *que*...
j' achète	j' achetasse	j' aie acheté	j' eusse acheté
tu achètes	tu achetasses	tu aies acheté	tu eusses acheté
il, elle achète	il, elle achetât	il, elle ait acheté	il, elle eût acheté
nous achetions	nous achetassions	nous ayons acheté	nous eussions acheté
vous achetiez	vous achetassiez	vous ayez acheté	vous eussiez acheté
ils, elles achètent	ils, elles achetassent	ils, elles aient acheté	ils, elles eussent acheté

CONDITIONNEL

Présent	Passé 1re forme	Passé 2e forme
j' achèterais	j' aurais acheté	j' eusse acheté
tu achèterais	tu aurais acheté	tu eusses acheté
il, elle achèterait	il, elle aurait acheté	il, elle eût acheté
nous achèterions	nous aurions acheté	nous eussions acheté
vous achèteriez	vous auriez acheté	vous eussiez acheté
ils, elles achèteraient	ils, elles auraient acheté	ils, elles eussent acheté

IMPÉRATIF

Présent	Passé
achète	aie acheté
achetons	ayons acheté
achetez	ayez acheté

INFINITIF

Présent	Passé
acheter	avoir acheté

PARTICIPE

Présent	Passé
achetant	acheté(e)
	ayant acheté

c devient **ç** devant **a** et **o** pour garder le son [s] :
- à la 1re personne du pluriel du présent de l'indicatif et de l'impératif ;
- aux trois personnes du singulier et à la 3e personne du pluriel de l'imparfait de l'indicatif ;
- à toutes les personnes de l'imparfait du subjonctif et du passé simple de l'indicatif (sauf à la 3e personne du pluriel du passé simple) ;
- au participe présent.

acquiescer

INDICATIF

Présent		Imparfait		Passé composé			Plus-que-parfait		
j'	acquiesce	j'	acquiesçais	j'	ai	acquiescé	j'	avais	acquiescé
tu	acquiesces	tu	acquiesçais	tu	as	acquiescé	tu	avais	acquiescé
il, elle	acquiesce	il, elle	acquiesçait	il, elle	a	acquiescé	il, elle	avait	acquiescé
nous	acquiesçons	nous	acquiescions	nous	avons	acquiescé	nous	avions	acquiescé
vous	acquiescez	vous	acquiesciez	vous	avez	acquiescé	vous	aviez	acquiescé
ils, elles	acquiescent	ils, elles	acquiesçaient	ils, elles	ont	acquiescé	ils, elles	avaient	acquiescé

Passé simple		Futur simple		Passé antérieur			Futur antérieur		
j'	acquiesçai	j'	acquiescerai	j'	eus	acquiescé	j'	aurai	acquiescé
tu	acquiesças	tu	acquiesceras	tu	eus	acquiescé	tu	auras	acquiescé
il, elle	acquiesça	il, elle	acquiescera	il, elle	eut	acquiescé	il, elle	aura	acquiescé
nous	acquiesçâmes	nous	acquiescerons	nous	eûmes	acquiescé	nous	aurons	acquiescé
vous	acquiesçâtes	vous	acquiescerez	vous	eûtes	acquiescé	vous	aurez	acquiescé
ils, elles	acquiescèrent	ils, elles	acquiesceront	ils, elles	eurent	acquiescé	ils, elles	auront	acquiescé

SUBJONCTIF

Présent		Imparfait		Passé			Plus-que-parfait		
Il faut *que...*		Il fallait *que...*		Il faut *que...*			Il fallait *que...*		
j'	acquiesce	j'	acquiesçasse	j'	aie	acquiescé	j'	eusse	acquiescé
tu	acquiesces	tu	acquiesçasses	tu	aies	acquiescé	tu	eusses	acquiescé
il, elle	acquiesce	il, elle	acquiesçât	il, elle	ait	acquiescé	il, elle	eût	acquiescé
nous	acquiescions	nous	acquiesçassions	nous	ayons	acquiescé	nous	eussions	acquiescé
vous	acquiesciez	vous	acquiesçassiez	vous	ayez	acquiescé	vous	eussiez	acquiescé
ils, elles	acquiescent	ils, elles	acquiesçassent	ils, elles	aient	acquiescé	ils, elles	eussent	acquiescé

CONDITIONNEL

Présent		Passé 1re forme			Passé 2e forme		
j'	acquiescerais	j'	aurais	acquiescé	j'	eusse	acquiescé
tu	acquiescerais	tu	aurais	acquiescé	tu	eusses	acquiescé
il, elle	acquiescerait	il, elle	aurait	acquiescé	il, elle	eût	acquiescé
nous	acquiescerions	nous	aurions	acquiescé	nous	eussions	acquiescé
vous	acquiesceriez	vous	auriez	acquiescé	vous	eussiez	acquiescé
ils, elles	acquiesceraient	ils, elles	auraient	acquiescé	ils, elles	eussent	acquiescé

IMPÉRATIF

Présent	Passé
acquiesce	aie acquiescé
acquiesçons	ayons acquiescé
acquiescez	ayez acquiescé

INFINITIF

Présent	Passé
acquiescer	avoir acquiescé

PARTICIPE

Présent	Passé
acquiesçant	acquiescé
	ayant acquiescé

1er groupe

VERBES EN -eler

I devient II :
- aux trois personnes du singulier et à la 3e personne du pluriel du présent de l'indicatif et du subjonctif ;
- à la 2e personne du singulier du présent de l'impératif ;
- à toutes les personnes du futur simple de l'indicatif et du présent du conditionnel.

▶ Exceptions : *aciseler, celer, ciseler, congeler, se crêpeler, déceler, décongeler, dégeler* (être ou avoir), *démanteler, écarteler, embreler, s'encasteler, épinceler, friseler, geler, harceler, marteler, modeler, peler, receler, recongeler, regeler, remodeler, surgeler* ne doublent pas le l, mais changent le e du radical en è (cf. *geler*, 72).

appeler

INDICATIF

Présent	Imparfait	Passé composé	Plus-que-parfait
j' appelle	j' appelais	j' ai appelé	j' avais appelé
tu appelles	tu appelais	tu as appelé	tu avais appelé
il, elle appelle	il, elle appelait	il, elle a appelé	il, elle avait appelé
nous appelons	nous appelions	nous avons appelé	nous avions appelé
vous appelez	vous appeliez	vous avez appelé	vous aviez appelé
ils, elles appellent	ils, elles appelaient	ils, elles ont appelé	ils, elles avaient appelé

Passé simple	Futur simple	Passé antérieur	Futur antérieur
j' appelai	j' appellerai	j' eus appelé	j' aurai appelé
tu appelas	tu appelleras	tu eus appelé	tu auras appelé
il, elle appela	il, elle appellera	il, elle eut appelé	il, elle aura appelé
nous appelâmes	nous appellerons	nous eûmes appelé	nous aurons appelé
vous appelâtes	vous appellerez	vous eûtes appelé	vous aurez appelé
ils, elles appelèrent	ils, elles appelleront	ils, elles eurent appelé	ils, elles auront appelé

SUBJONCTIF

Présent	Imparfait	Passé	Plus-que-parfait
Il faut que...	*Il fallait que...*	*Il faut que...*	*Il fallait que...*
j' appelle	j' appelasse	j' aie appelé	j' eusse appelé
tu appelles	tu appelasses	tu aies appelé	tu eusses appelé
il, elle appelle	il, elle appelât	il, elle ait appelé	il, elle eût appelé
nous appelions	nous appelassions	nous ayons appelé	nous eussions appelé
vous appeliez	vous appelassiez	vous ayez appelé	vous eussiez appelé
ils, elles appellent	ils, elles appelassent	ils, elles aient appelé	ils, elles eussent appelé

CONDITIONNEL

Présent	Passé 1re forme	Passé 2e forme
j' appellerais	j' aurais appelé	j' eusse appelé
tu appellerais	tu aurais appelé	tu eusses appelé
il, elle appellerait	il, elle aurait appelé	il, elle eût appelé
nous appellerions	nous aurions appelé	nous eussions appelé
vous appelleriez	vous auriez appelé	vous eussiez appelé
ils, elles appelleraient	ils, elles auraient appelé	ils, elles eussent appelé

IMPÉRATIF

Présent	Passé
appelle	aie appelé
appelons	ayons appelé
appelez	ayez appelé

INFINITIF

Présent	Passé
appeler	avoir appelé

PARTICIPE

Présent	Passé
appelant	appelé(e)
	ayant appelé

e devient **ë** :
- aux trois personnes du singulier et à la 3ᵉ personne du pluriel du présent de l'indicatif et du subjonctif ;
- à la 2ᵉ personne du singulier du présent de l'impératif ;
- à toutes les personnes du futur simple de l'indicatif et du présent du conditionnel.
- **i** devient **ï** aux 1ʳᵉˢ et 2ᵉˢ personnes du pluriel de l'imparfait de l'indicatif et du présent du subjonctif.
▶ L'usage du tréma n'est plus obligatoire, mais sa présence sur le **e** et le **i** indique qu'il faut prononcer le **u** et non pas l'inclure dans la prononciation du son [g] orthographié **gu**.

arguer

INDICATIF

Présent		Imparfait		Passé composé			Plus-que-parfait		
j'	arguë	j'	arguais	j'	ai	argué	j'	avais	argué
tu	arguës	tu	arguais	tu	as	argué	tu	avais	argué
il, elle	arguë	il, elle	arguait	il, elle	a	argué	il, elle	avait	argué
nous	arguons	nous	arguïons	nous	avons	argué	nous	avions	argué
vous	arguez	vous	arguïez	vous	avez	argué	vous	aviez	argué
ils, elles	arguënt	ils, elles	arguaient	ils, elles	ont	argué	ils, elles	avaient	argué

Passé simple		Futur simple		Passé antérieur			Futur antérieur		
j'	arguai	j'	arguërai	j'	eus	argué	j'	aurai	argué
tu	arguas	tu	arguëras	tu	eus	argué	tu	auras	argué
il, elle	argua	il, elle	arguëra	il, elle	eut	argué	il, elle	aura	argué
nous	arguâmes	nous	arguërons	nous	eûmes	argué	nous	aurons	argué
vous	arguâtes	vous	arguërez	vous	eûtes	argué	vous	aurez	argué
ils, elles	arguèrent	ils, elles	arguëront	ils, elles	eurent	argué	ils, elles	auront	argué

SUBJONCTIF

Présent		Imparfait		Passé			Plus-que-parfait		
Il faut que...		Il fallait que...		Il faut que...			Il fallait que...		
j'	arguë	j'	arguasse	j'	aie	argué	j'	eusse	argué
tu	arguës	tu	arguasses	tu	aies	argué	tu	eusses	argué
il, elle	arguë	il, elle	arguât	il, elle	ait	argué	il, elle	eût	argué
nous	arguïons	nous	arguassions	nous	ayons	argué	nous	eussions	argué
vous	arguïez	vous	arguassiez	vous	ayez	argué	vous	eussiez	argué
ils, elles	arguënt	ils, elles	arguassent	ils, elles	aient	argué	ils, elles	eussent	argué

CONDITIONNEL

Présent		Passé 1ʳᵉ forme			Passé 2ᵉ forme		
j'	arguërais	j'	aurais	argué	j'	eusse	argué
tu	arguërais	tu	aurais	argué	tu	eusses	argué
il, elle	arguërait	il, elle	aurait	argué	il, elle	eût	argué
nous	arguërions	nous	aurions	argué	nous	eussions	argué
vous	arguëriez	vous	auriez	argué	vous	eussiez	argué
ils, elles	arguëraient	ils, elles	auraient	argué	ils, elles	eussent	argué

IMPÉRATIF

Présent	Passé
arguë	aie argué
arguons	ayons argué
arguez	ayez argué

INFINITIF

Présent	Passé
arguer	avoir argué

PARTICIPE

Présent	Passé
arguant	argué(e)
	ayant argué

VERBES EN -iller

Il devient **lli** aux 1res et 2es personnes du pluriel de l'imparfait de l'indicatif et du présent du subjonctif.

briller

INDICATIF

Présent		Imparfait		Passé composé			Plus-que-parfait		
je	brille	je	brillais	j'	ai	brillé	j'	avais	brillé
tu	brilles	tu	brillais	tu	as	brillé	tu	avais	brillé
il, elle	brille	il, elle	brillait	il, elle	a	brillé	il, elle	avait	brillé
nous	brillons	nous	brillions	nous	avons	brillé	nous	avions	brillé
vous	brillez	vous	brilliez	vous	avez	brillé	vous	aviez	brillé
ils, elles	brillent	ils, elles	brillaient	ils, elles	ont	brillé	ils, elles	avaient	brillé

Passé simple		Futur simple		Passé antérieur			Futur antérieur		
je	brillai	je	brillerai	j'	eus	brillé	j'	aurai	brillé
tu	brillas	tu	brilleras	tu	eus	brillé	tu	auras	brillé
il, elle	brilla	il, elle	brillera	il, elle	eut	brillé	il, elle	aura	brillé
nous	brillâmes	nous	brillerons	nous	eûmes	brillé	nous	aurons	brillé
vous	brillâtes	vous	brillerez	vous	eûtes	brillé	vous	aurez	brillé
ils, elles	brillèrent	ils, elles	brilleront	ils, elles	eurent	brillé	ils, elles	auront	brillé

SUBJONCTIF

Présent		Imparfait		Passé			Plus-que-parfait		
Il faut que...		*Il fallait que...*		*Il faut que...*			*Il fallait que...*		
je	brille	je	brillasse	j'	aie	brillé	j'	eusse	brillé
tu	brilles	tu	brillasses	tu	aies	brillé	tu	eusses	brillé
il, elle	brille	il, elle	brillât	il, elle	ait	brillé	il, elle	eût	brillé
nous	brillions	nous	brillassions	nous	ayons	brillé	nous	eussions	brillé
vous	brilliez	vous	brillassiez	vous	ayez	brillé	vous	eussiez	brillé
ils, elles	brillent	ils, elles	brillassent	ils, elles	aient	brillé	ils, elles	eussent	brillé

CONDITIONNEL

Présent		Passé 1re forme			Passé 2e forme		
je	brillerais	j'	aurais	brillé	j'	eusse	brillé
tu	brillerais	tu	aurais	brillé	tu	eusses	brillé
il, elle	brillerait	il, elle	aurait	brillé	il, elle	eût	brillé
nous	brillerions	nous	aurions	brillé	nous	eussions	brillé
vous	brilleriez	vous	auriez	brillé	vous	eussiez	brillé
ils, elles	brilleraient	ils, elles	auraient	brillé	ils, elles	eussent	brillé

IMPÉRATIF

Présent	Passé
brille	aie brillé
brillons	ayons brillé
brillez	ayez brillé

INFINITIF

Présent	Passé
briller	avoir brillé

PARTICIPE

Présent	Passé
brillant	brillé
	ayant brillé

c devient **ç** devant **a** et **o** pour garder le son [s] :
- à la 1re personne du pluriel du présent de l'indicatif et de l'impératif ;
- aux trois personnes du singulier et à la 3e personne du pluriel de l'imparfait de l'indicatif ;
- à toutes les personnes de l'imparfait du subjonctif et du passé simple de l'indicatif (sauf à la 3e personne du pluriel du passé simple) ;
- au participe présent.

commencer

INDICATIF

Présent		Imparfait		Passé composé			Plus-que-parfait		
je	commence	je	commençais	j'	ai	commencé	j'	avais	commencé
tu	commences	tu	commençais	tu	as	commencé	tu	avais	commencé
il, elle	commence	il, elle	commençait	il, elle	a	commencé	il, elle	avait	commencé
nous	commençons	nous	commencions	nous	avons	commencé	nous	avions	commencé
vous	commencez	vous	commenciez	vous	avez	commencé	vous	aviez	commencé
ils, elles	commencent	ils, elles	commençaient	ils, elles	ont	commencé	ils, elles	avaient	commencé

Passé simple		Futur simple		Passé antérieur			Futur antérieur		
je	commençai	je	commencerai	j'	eus	commencé	j'	aurai	commencé
tu	commenças	tu	commenceras	tu	eus	commencé	tu	auras	commencé
il, elle	commença	il, elle	commencera	il, elle	eut	commencé	il, elle	aura	commencé
nous	commençâmes	nous	commencerons	nous	eûmes	commencé	nous	aurons	commencé
vous	commençâtes	vous	commencerez	vous	eûtes	commencé	vous	aurez	commencé
ils, elles	commencèrent	ils, elles	commenceront	ils, elles	eurent	commencé	ils, elles	auront	commencé

SUBJONCTIF

Présent		Imparfait		Passé			Plus-que-parfait		
Il faut que...		*Il fallait que...*		*Il faut que...*			*Il fallait que...*		
je	commence	je	commençasse	j'	aie	commencé	j'	eusse	commencé
tu	commences	tu	commençasses	tu	aies	commencé	tu	eusses	commencé
il, elle	commence	il, elle	commençât	il, elle	ait	commencé	il, elle	eût	commencé
nous	commencions	nous	commençassions	nous	ayons	commencé	nous	eussions	commencé
vous	commenciez	vous	commençassiez	vous	ayez	commencé	vous	eussiez	commencé
ils, elles	commencent	ils, elles	commençassent	ils, elles	aient	commencé	ils, elles	eussent	commencé

CONDITIONNEL

Présent		Passé 1re forme			Passé 2e forme		
je	commencerais	j'	aurais	commencé	j'	eusse	commencé
tu	commencerais	tu	aurais	commencé	tu	eusses	commencé
il, elle	commencerait	il, elle	aurait	commencé	il, elle	eût	commencé
nous	commencerions	nous	aurions	commencé	nous	eussions	commencé
vous	commenceriez	vous	auriez	commencé	vous	eussiez	commencé
ils, elles	commenceraient	ils, elles	auraient	commencé	ils, elles	eussent	commencé

IMPÉRATIF

Présent	Passé
commence	aie commencé
commençons	ayons commencé
commencez	ayez commencé

INFINITIF

Présent	Passé
commencer	avoir commencé

PARTICIPE

Présent	Passé
commençant	commencé(e)
	ayant commencé

1er groupe

é est suivi d'un **e** :
- à l'infinitif ;
- aux trois personnes du singulier et à la 3e personne du pluriel du présent de l'indicatif et du subjonctif ;
- à la 2e personne du singulier du présent de l'impératif ;
- à toutes les personnes du futur simple de l'indicatif et du présent du conditionnel. Pour ne pas l'oublier, il faut se rappeler que le futur simple de l'indicatif et le présent du conditionnel ajoutent leurs terminaisons à l'infinitif du verbe.
▶ Au participe passé féminin, **éé** devient **ée** : *créée, créées*.

créer

INDICATIF

Présent		Imparfait		Passé composé			Plus-que-parfait		
je	crée	je	créais	j'	ai	créé	j'	avais	créé
tu	crées	tu	créais	tu	as	créé	tu	avais	créé
il, elle	crée	il, elle	créait	il, elle	a	créé	il, elle	avait	créé
nous	créons	nous	créions	nous	avons	créé	nous	avions	créé
vous	créez	vous	créiez	vous	avez	créé	vous	aviez	créé
ils, elles	créent	ils, elles	créaient	ils, elles	ont	créé	ils, elles	avaient	créé

Passé simple		Futur simple		Passé antérieur			Futur antérieur		
je	créai	je	créerai	j'	eus	créé	j'	aurai	créé
tu	créas	tu	créeras	tu	eus	créé	tu	auras	créé
il, elle	créa	il, elle	créera	il, elle	eut	créé	il, elle	aura	créé
nous	créâmes	nous	créerons	nous	eûmes	créé	nous	aurons	créé
vous	créâtes	vous	créerez	vous	eûtes	créé	vous	aurez	créé
ils, elles	créèrent	ils, elles	créeront	ils, elles	eurent	créé	ils, elles	auront	créé

SUBJONCTIF

Présent		Imparfait		Passé			Plus-que-parfait		
Il faut que...		*Il fallait que...*		*Il faut que...*			*Il fallait que...*		
je	crée	je	créasse	j'	aie	créé	j'	eusse	créé
tu	crées	tu	créasses	tu	aies	créé	tu	eusses	créé
il, elle	crée	il, elle	créât	il, elle	ait	créé	il, elle	eût	créé
nous	créions	nous	créassions	nous	ayons	créé	nous	eussions	créé
vous	créiez	vous	créassiez	vous	ayez	créé	vous	eussiez	créé
ils, elles	créent	ils, elles	créassent	ils, elles	aient	créé	ils, elles	eussent	créé

CONDITIONNEL

Présent		Passé 1re forme			Passé 2e forme		
je	créerais	j'	aurais	créé	j'	eusse	créé
tu	créerais	tu	aurais	créé	tu	eusses	créé
il, elle	créerait	il, elle	aurait	créé	il, elle	eût	créé
nous	créerions	nous	aurions	créé	nous	eussions	créé
vous	créeriez	vous	auriez	créé	vous	eussiez	créé
ils, elles	créeraient	ils, elles	auraient	créé	ils, elles	eussent	créé

IMPÉRATIF

Présent	Passé
crée	aie créé
créons	ayons créé
créez	ayez créé

INFINITIF

Présent	Passé
créer	avoir créé

PARTICIPE

Présent	Passé
créant	créé(e)
	ayant créé

1er groupe

● é devient è :
- aux trois personnes du singulier et à la 3e personne du pluriel du présent de l'indicatif et du subjonctif ;
- à la 2e personne du singulier du présent de l'impératif.
▶ Au futur simple de l'indicatif et au présent du conditionnel, le é est généralement prononcé [ɛ], d'où la tolérance d'écriture maintenant admise qui consiste à remplacer le é par un è à toutes les personnes de ces temps.
● gu reste gu, même devant a et o.

déléguer

INDICATIF

Présent
je délègue
tu délègues
il, elle délègue
nous déléguons
vous déléguez
ils, elles délèguent

Imparfait
je déléguais
tu déléguais
il, elle déléguait
nous déléguions
vous déléguiez
ils, elles déléguaient

Passé composé
j' ai délégué
tu as délégué
il, elle a délégué
nous avons délégué
vous avez délégué
ils, elles ont délégué

Plus-que-parfait
j' avais délégué
tu avais délégué
il, elle avait délégué
nous avions délégué
vous aviez délégué
ils, elles avaient délégué

Passé simple
je déléguai
tu déléguas
il, elle délégua
nous déléguâmes
vous déléguâtes
ils, elles déléguèrent

Futur simple
je déléguerai
tu délégueras
il, elle déléguera
nous déléguerons
vous déléguerez
ils, elles délégueront

Passé antérieur
j' eus délégué
tu eus délégué
il, elle eut délégué
nous eûmes délégué
vous eûtes délégué
ils, elles eurent délégué

Futur antérieur
j' aurai délégué
tu auras délégué
il, elle aura délégué
nous aurons délégué
vous aurez délégué
ils, elles auront délégué

SUBJONCTIF

Présent
Il faut que...
je délègue
tu délègues
il, elle délègue
nous déléguions
vous déléguiez
ils, elles délèguent

Imparfait
Il fallait que...
je déléguasse
tu déléguasses
il, elle déléguât
nous déléguassions
vous déléguassiez
ils, elles déléguassent

Passé
Il faut que...
j' aie délégué
tu aies délégué
il, elle ait délégué
nous ayons délégué
vous ayez délégué
ils, elles aient délégué

Plus-que-parfait
Il fallait que...
j' eusse délégué
tu eusses délégué
il, elle eût délégué
nous eussions délégué
vous eussiez délégué
ils, elles eussent délégué

CONDITIONNEL

Présent
je déléguerais
tu déléguerais
il, elle déléguerait
nous déléguerions
vous délégueriez
ils, elles délégueraient

Passé 1re forme
j' aurais délégué
tu aurais délégué
il, elle aurait délégué
nous aurions délégué
vous auriez délégué
ils, elles auraient délégué

Passé 2e forme
j' eusse délégué
tu eusses délégué
il, elle eût délégué
nous eussions délégué
vous eussiez délégué
ils, elles eussent délégué

IMPÉRATIF

Présent
délègue
déléguons
déléguez

Passé
aie délégué
ayons délégué
ayez délégué

INFINITIF

Présent
déléguer

Passé
avoir délégué

PARTICIPE

Présent
déléguant

Passé
délégué(e)
ayant délégué

1er groupe

VERBES EN -ecer

e devient **è** :
- aux trois personnes du singulier et à la 3e personne du pluriel du présent de l'indicatif et du subjonctif ;
- à la 2e personne du singulier du présent de l'impératif ;
- à toutes les personnes du futur simple de l'indicatif et du présent du conditionnel.
● **c** devient **ç** devant **a** et **o** pour garder le son [s].

dépecer

INDICATIF

Présent		Imparfait		Passé composé			Plus-que-parfait		
je	dépèce	je	dépeçais	j'	ai	dépecé	j'	avais	dépecé
tu	dépèces	tu	dépeçais	tu	as	dépecé	tu	avais	dépecé
il, elle	dépèce	il, elle	dépeçait	il, elle	a	dépecé	il, elle	avait	dépecé
nous	dépeçons	nous	dépecions	nous	avons	dépecé	nous	avions	dépecé
vous	dépecez	vous	dépeciez	vous	avez	dépecé	vous	aviez	dépecé
ils, elles	dépècent	ils, elles	dépeçaient	ils, elles	ont	dépecé	ils, elles	avaient	dépecé

Passé simple		Futur simple		Passé antérieur			Futur antérieur		
je	dépeçai	je	dépècerai	j'	eus	dépecé	j'	aurai	dépecé
tu	dépeças	tu	dépèceras	tu	eus	dépecé	tu	auras	dépecé
il, elle	dépeça	il, elle	dépècera	il, elle	eut	dépecé	il, elle	aura	dépecé
nous	dépeçâmes	nous	dépècerons	nous	eûmes	dépecé	nous	aurons	dépecé
vous	dépeçâtes	vous	dépècerez	vous	eûtes	dépecé	vous	aurez	dépecé
ils, elles	dépecèrent	ils, elles	dépèceront	ils, elles	eurent	dépecé	ils, elles	auront	dépecé

SUBJONCTIF

Présent		Imparfait		Passé			Plus-que-parfait		
Il faut que...		*Il fallait que...*		*Il faut que...*			*Il fallait que...*		
je	dépèce	je	dépeçasse	j'	aie	dépecé	j'	eusse	dépecé
tu	dépèces	tu	dépeçasses	tu	aies	dépecé	tu	eusses	dépecé
il, elle	dépèce	il, elle	dépeçât	il, elle	ait	dépecé	il, elle	eût	dépecé
nous	dépecions	nous	dépeçassions	nous	ayons	dépecé	nous	eussions	dépecé
vous	dépeciez	vous	dépeçassiez	vous	ayez	dépecé	vous	eussiez	dépecé
ils, elles	dépècent	ils, elles	dépeçassent	ils, elles	aient	dépecé	ils, elles	eussent	dépecé

CONDITIONNEL

Présent		Passé 1re forme			Passé 2e forme		
je	dépècerais	j'	aurais	dépecé	j'	eusse	dépecé
tu	dépècerais	tu	aurais	dépecé	tu	eusses	dépecé
il, elle	dépècerait	il, elle	aurait	dépecé	il, elle	eût	dépecé
nous	dépècerions	nous	aurions	dépecé	nous	eussions	dépecé
vous	dépèceriez	vous	auriez	dépecé	vous	eussiez	dépecé
ils, elles	dépèceraient	ils, elles	auraient	dépecé	ils, elles	eussent	dépecé

IMPÉRATIF

Présent	Passé
dépèce	aie dépecé
dépeçons	ayons dépecé
dépecez	ayez dépecé

INFINITIF

Présent	Passé
dépecer	avoir dépecé

PARTICIPE

Présent	Passé
dépeçant	dépecé(e)
	ayant dépecé

é devient **è** :
- aux trois personnes du singulier et à la 3e personne du pluriel du présent de l'indicatif et du subjonctif ;
- à la 2e personne du singulier du présent de l'impératif.
▶ Au futur simple de l'indicatif et au présent du conditionnel, le **é** est généralement prononcé [ɛ], d'où la tolérance d'écriture maintenant admise qui consiste à remplacer le **é** par un **è** à toutes les personnes de ces temps.
▶ **qu** est conservé à toutes les formes.

disséquer

INDICATIF

Présent	Imparfait	Passé composé	Plus-que-parfait
je dissèque	je disséquais	j' ai disséqué	j' avais disséqué
tu dissèques	tu disséquais	tu as disséqué	tu avais disséqué
il, elle dissèque	il, elle disséquait	il, elle a disséqué	il, elle avait disséqué
nous disséquons	nous disséquions	nous avons disséqué	nous avions disséqué
vous disséquez	vous disséquiez	vous avez disséqué	vous aviez disséqué
ils, elles dissèquent	ils, elles disséquaient	ils, elles ont disséqué	ils, elles avaient disséqué

Passé simple	Futur simple	Passé antérieur	Futur antérieur
je disséquai	je disséquerai	j' eus disséqué	j' aurai disséqué
tu disséquas	tu disséqueras	tu eus disséqué	tu auras disséqué
il, elle disséqua	il, elle disséquera	il, elle eut disséqué	il, elle aura disséqué
nous disséquâmes	nous disséquerons	nous eûmes disséqué	nous aurons disséqué
vous disséquâtes	vous disséquerez	vous eûtes disséqué	vous aurez disséqué
ils, elles disséquèrent	ils, elles disséqueront	ils, elles eurent disséqué	ils, elles auront disséqué

SUBJONCTIF

Présent	Imparfait	Passé	Plus-que-parfait
Il faut **que**...	Il fallait **que**...	Il faut **que**...	Il fallait **que**...
je dissèque	je disséquasse	j' aie disséqué	j' eusse disséqué
tu dissèques	tu disséquasses	tu aies disséqué	tu eusses disséqué
il, elle dissèque	il, elle disséquât	il, elle ait disséqué	il, elle eût disséqué
nous disséquions	nous disséquassions	nous ayons disséqué	nous eussions disséqué
vous disséquiez	vous disséquassiez	vous ayez disséqué	vous eussiez disséqué
ils, elles dissèquent	ils, elles disséquassent	ils, elles aient disséqué	ils, elles eussent disséqué

CONDITIONNEL

Présent	Passé 1re forme	Passé 2e forme
je disséquerais	j' aurais disséqué	j' eusse disséqué
tu disséquerais	tu aurais disséqué	tu eusses disséqué
il, elle disséquerait	il, elle aurait disséqué	il, elle eût disséqué
nous disséquerions	nous aurions disséqué	nous eussions disséqué
vous disséqueriez	vous auriez disséqué	vous eussiez disséqué
ils, elles disséqueraient	ils, elles auraient disséqué	ils, elles eussent disséqué

IMPÉRATIF

Présent	Passé
dissèque	aie disséqué
disséquons	ayons disséqué
disséquez	ayez disséqué

INFINITIF

Présent	Passé
disséquer	avoir disséqué

PARTICIPE

Présent	Passé
disséquant	disséqué(e)
	ayant disséqué

1er groupe

VERBES EN -guer

gu reste **gu** même devant **a** et **o**.
▶ **gu** devient **g** pour l'adjectif verbal des verbes *délé**guer**, diva**guer**, extrava**guer**, fati**guer**, intri**guer**, navi**guer**, zigza**guer*** : *le personnel navi**ga**nt.*

distinguer

INDICATIF

Présent	Imparfait	Passé composé	Plus-que-parfait
je distin**gue**	je distin**guais**	j' ai distin**gué**	j' avais distin**gué**
tu distin**gues**	tu distin**guais**	tu as distin**gué**	tu avais distin**gué**
il, elle distin**gue**	il, elle distin**guait**	il, elle a distin**gué**	il, elle avait distin**gué**
nous distin**guons**	nous distin**guions**	nous avons distin**gué**	nous avions distin**gué**
vous distin**guez**	vous distin**guiez**	vous avez distin**gué**	vous aviez distin**gué**
ils, elles distin**guent**	ils, elles distin**guaient**	ils, elles ont distin**gué**	ils, elles avaient distin**gué**

Passé simple	Futur simple	Passé antérieur	Futur antérieur
je distin**guai**	je distin**guerai**	j' eus distin**gué**	j' aurai distin**gué**
tu distin**guas**	tu distin**gueras**	tu eus distin**gué**	tu auras distin**gué**
il, elle distin**gua**	il, elle distin**guera**	il, elle eut distin**gué**	il, elle aura distin**gué**
nous distin**guâmes**	nous distin**guerons**	nous eûmes distin**gué**	nous aurons distin**gué**
vous distin**guâtes**	vous distin**guerez**	vous eûtes distin**gué**	vous aurez distin**gué**
ils, elles distin**guèrent**	ils, elles distin**gueront**	ils, elles eurent distin**gué**	ils, elles auront distin**gué**

SUBJONCTIF

Présent	Imparfait	Passé	Plus-que-parfait
Il faut *que...*	Il fallait *que...*	Il faut *que...*	Il fallait *que...*
je distin**gue**	je distin**guasse**	j' aie distin**gué**	j' eusse distin**gué**
tu distin**gues**	tu distin**guasses**	tu aies distin**gué**	tu eusses distin**gué**
il, elle distin**gue**	il, elle distin**guât**	il, elle ait distin**gué**	il, elle eût distin**gué**
nous distin**guions**	nous distin**guassions**	nous ayons distin**gué**	nous eussions distin**gué**
vous distin**guiez**	vous distin**guassiez**	vous ayez distin**gué**	vous eussiez distin**gué**
ils, elles distin**guent**	ils, elles distin**guassent**	ils, elles aient distin**gué**	ils, elles eussent distin**gué**

CONDITIONNEL

Présent	Passé 1re forme	Passé 2e forme
je distin**guerais**	j' aurais distin**gué**	j' eusse distin**gué**
tu distin**guerais**	tu aurais distin**gué**	tu eusses distin**gué**
il, elle distin**guerait**	il, elle aurait distin**gué**	il, elle eût distin**gué**
nous distin**guerions**	nous aurions distin**gué**	nous eussions distin**gué**
vous distin**gueriez**	vous auriez distin**gué**	vous eussiez distin**gué**
ils, elles distin**gueraient**	ils, elles auraient distin**gué**	ils, elles eussent distin**gué**

IMPÉRATIF

Présent	Passé
distin**gue**	aie distin**gué**
distin**guons**	ayons distin**gué**
distin**guez**	ayez distin**gué**

INFINITIF

Présent	Passé
distin**guer**	avoir distin**gué**

PARTICIPE

Présent	Passé
distin**guant**	distin**gué(e)**
	ayant distin**gué**

y devient **obligatoirement i** devant **e muet** :
- aux trois personnes du singulier et à la 3e personne du pluriel du présent de l'indicatif et du subjonctif ;
- à la 2e personne du singulier du présent de l'impératif ;
- à toutes les personnes du futur simple de l'indicatif et du présent du conditionnel.
● y devient **yi** aux 1res et 2es personnes du pluriel de l'imparfait de l'indicatif et du présent du subjonctif.
● **i** est suivi d'un **e** à toutes les personnes du futur simple de l'indicatif et du présent du conditionnel. Étant donné qu'il ne se prononce pas, on a souvent tendance à l'oublier à l'écrit.

employer

INDICATIF

Présent		Imparfait		Passé composé			Plus-que-parfait		
j'	emploie	j'	employais	j'	ai	employé	j'	avais	employé
tu	emploies	tu	employais	tu	as	employé	tu	avais	employé
il, elle	emploie	il, elle	employait	il, elle	a	employé	il, elle	avait	employé
nous	employons	nous	employions	nous	avons	employé	nous	avions	employé
vous	employez	vous	employiez	vous	avez	employé	vous	aviez	employé
ils, elles	emploient	ils, elles	employaient	ils, elles	ont	employé	ils, elles	avaient	employé

Passé simple		Futur simple		Passé antérieur			Futur antérieur		
j'	employai	j'	emploierai	j'	eus	employé	j'	aurai	employé
tu	employas	tu	emploieras	tu	eus	employé	tu	auras	employé
il, elle	employa	il, elle	emploiera	il, elle	eut	employé	il, elle	aura	employé
nous	employâmes	nous	emploierons	nous	eûmes	employé	nous	aurons	employé
vous	employâtes	vous	emploierez	vous	eûtes	employé	vous	aurez	employé
ils, elles	employèrent	ils, elles	emploieront	ils, elles	eurent	employé	ils, elles	auront	employé

SUBJONCTIF

Présent		Imparfait		Passé			Plus-que-parfait		
Il faut **que**...		Il fallait **que**...		Il faut **que**...			Il fallait **que**...		
j'	emploie	j'	employasse	j'	aie	employé	j'	eusse	employé
tu	emploies	tu	employasses	tu	aies	employé	tu	eusses	employé
il, elle	emploie	il, elle	employât	il, elle	ait	employé	il, elle	eût	employé
nous	employions	nous	employassions	nous	ayons	employé	nous	eussions	employé
vous	employiez	vous	employassiez	vous	ayez	employé	vous	eussiez	employé
ils, elles	emploient	ils, elles	employassent	ils, elles	aient	employé	ils, elles	eussent	employé

CONDITIONNEL

Présent		Passé 1re forme			Passé 2e forme		
j'	emploierais	j'	aurais	employé	j'	eusse	employé
tu	emploierais	tu	aurais	employé	tu	eusses	employé
il, elle	emploierait	il, elle	aurait	employé	il, elle	eût	employé
nous	emploierions	nous	aurions	employé	nous	eussions	employé
vous	emploieriez	vous	auriez	employé	vous	eussiez	employé
ils, elles	emploieraient	ils, elles	auraient	employé	ils, elles	eussent	employé

IMPÉRATIF

Présent	Passé
emploie	aie employé
employons	ayons employé
employez	ayez employé

INFINITIF

Présent	Passé
employer	avoir employé

PARTICIPE

Présent	Passé
employant	employé(e)
	ayant employé

1er groupe

VERBES EN -uyer

y devient **obligatoirement i** devant **e muet** :
- aux trois personnes du singulier et à la 3e personne du pluriel du présent de l'indicatif et du subjonctif ;
- à la 2e personne du singulier du présent de l'impératif ;
- à toutes les personnes du futur simple de l'indicatif et du présent du conditionnel.
- **y** devient **yi** aux 1res et 2es personnes du pluriel de l'imparfait de l'indicatif et du présent du subjonctif.
- **i** est suivi d'un **e** à toutes les personnes du futur simple de l'indicatif et du présent du conditionnel. Étant donné qu'il ne se prononce pas, on a souvent tendance à l'oublier à l'écrit.

ennuyer

INDICATIF

Présent	Imparfait	Passé composé	Plus-que-parfait
j' ennuie	j' ennuyais	j' ai ennuyé	j' avais ennuyé
tu ennuies	tu ennuyais	tu as ennuyé	tu avais ennuyé
il, elle ennuie	il, elle ennuyait	il, elle a ennuyé	il, elle avait ennuyé
nous ennuyons	nous ennuyions	nous avons ennuyé	nous avions ennuyé
vous ennuyez	vous ennuyiez	vous avez ennuyé	vous aviez ennuyé
ils, elles ennuient	ils, elles ennuyaient	ils, elles ont ennuyé	ils, elles avaient ennuyé

Passé simple	Futur simple	Passé antérieur	Futur antérieur
j' ennuyai	j' ennuierai	j' eus ennuyé	j' aurai ennuyé
tu ennuyas	tu ennuieras	tu eus ennuyé	tu auras ennuyé
il, elle ennuya	il, elle ennuiera	il, elle eut ennuyé	il, elle aura ennuyé
nous ennuyâmes	nous ennuierons	nous eûmes ennuyé	nous aurons ennuyé
vous ennuyâtes	vous ennuierez	vous eûtes ennuyé	vous aurez ennuyé
ils, elles ennuyèrent	ils, elles ennuieront	ils, elles eurent ennuyé	ils, elles auront ennuyé

SUBJONCTIF

Présent	Imparfait	Passé	Plus-que-parfait
Il faut que...	*Il fallait que...*	*Il faut que...*	*Il fallait que...*
j' ennuie	j' ennuyasse	j' aie ennuyé	j' eusse ennuyé
tu ennuies	tu ennuyasses	tu aies ennuyé	tu eusses ennuyé
il, elle ennuie	il, elle ennuyât	il, elle ait ennuyé	il, elle eût ennuyé
nous ennuyions	nous ennuyassions	nous ayons ennuyé	nous eussions ennuyé
vous ennuyiez	vous ennuyassiez	vous ayez ennuyé	vous eussiez ennuyé
ils, elles ennuient	ils, elles ennuyassent	ils, elles aient ennuyé	ils, elles eussent ennuyé

CONDITIONNEL

Présent	Passé 1re forme	Passé 2e forme
j' ennuierais	j' aurais ennuyé	j' eusse ennuyé
tu ennuierais	tu aurais ennuyé	tu eusses ennuyé
il, elle ennuierait	il, elle aurait ennuyé	il, elle eût ennuyé
nous ennuierions	nous aurions ennuyé	nous eussions ennuyé
vous ennuieriez	vous auriez ennuyé	vous eussiez ennuyé
ils, elles ennuieraient	ils, elles auraient ennuyé	ils, elles eussent ennuyé

IMPÉRATIF

Présent	Passé
ennuie	aie ennuyé
ennuyons	ayons ennuyé
ennuyez	ayez ennuyé

INFINITIF

Présent	Passé
ennuyer	avoir ennuyé

PARTICIPE

Présent	Passé
ennuyant	ennuyé(e)
	ayant ennuyé

1er groupe

y devient **obligatoirement i** devant **e muet** :
- aux trois personnes du singulier et à la 3ᵉ personne du pluriel du présent de l'indicatif et du subjonctif ;
- à la 2ᵉ personne du singulier du présent de l'impératif.
- y devient **yi** aux 1ʳᵉˢ et 2ᵉˢ personnes du pluriel de l'imparfait de l'indicatif et du présent du subjonctif.
- Au futur simple de l'indicatif et au présent du conditionnel, les formes sont construites sur le radical **enverr**.

envoyer

INDICATIF

Présent	Imparfait	Passé composé	Plus-que-parfait
j' **envoie**	j' **envoyais**	j' ai envoyé	j' avais envoyé
tu **envoies**	tu **envoyais**	tu as envoyé	tu avais envoyé
il, elle **envoie**	il, elle **envoyait**	il, elle a envoyé	il, elle avait envoyé
nous **envoyons**	nous **envoyions**	nous avons envoyé	nous avions envoyé
vous **envoyez**	vous **envoyiez**	vous avez envoyé	vous aviez envoyé
ils, elles **envoient**	ils, elles **envoyaient**	ils, elles ont envoyé	ils, elles avaient envoyé

Passé simple	Futur simple	Passé antérieur	Futur antérieur
j' **envoyai**	j' **enverrai**	j' eus envoyé	j' aurai envoyé
tu **envoyas**	tu **enverras**	tu eus envoyé	tu auras envoyé
il, elle **envoya**	il, elle **enverra**	il, elle eut envoyé	il, elle aura envoyé
nous **envoyâmes**	nous **enverrons**	nous eûmes envoyé	nous aurons envoyé
vous **envoyâtes**	vous **enverrez**	vous eûtes envoyé	vous aurez envoyé
ils, elles **envoyèrent**	ils, elles **enverront**	ils, elles eurent envoyé	ils, elles auront envoyé

SUBJONCTIF

Présent	Imparfait	Passé	Plus-que-parfait
Il faut *que*...	Il fallait *que*...	Il faut *que*...	Il fallait *que*...
j' **envoie**	j' **envoyasse**	j' aie envoyé	j' eusse envoyé
tu **envoies**	tu **envoyasses**	tu aies envoyé	tu eusses envoyé
il, elle **envoie**	il, elle **envoyât**	il, elle ait envoyé	il, elle eût envoyé
nous **envoyions**	nous **envoyassions**	nous ayons envoyé	nous eussions envoyé
vous **envoyiez**	vous **envoyassiez**	vous ayez envoyé	vous eussiez envoyé
ils, elles **envoient**	ils, elles **envoyassent**	ils, elles aient envoyé	ils, elles eussent envoyé

CONDITIONNEL

Présent	Passé 1ʳᵉ forme	Passé 2ᵉ forme
j' **enverrais**	j' aurais envoyé	j' eusse envoyé
tu **enverrais**	tu aurais envoyé	tu eusses envoyé
il, elle **enverrait**	il, elle aurait envoyé	il, elle eût envoyé
nous **enverrions**	nous aurions envoyé	nous eussions envoyé
vous **enverriez**	vous auriez envoyé	vous eussiez envoyé
ils, elles **enverraient**	ils, elles auraient envoyé	ils, elles eussent envoyé

IMPÉRATIF

Présent	Passé
envoie	aie envoyé
envoyons	ayons envoyé
envoyez	ayez envoyé

INFINITIF

Présent	Passé
envoyer	avoir envoyé

PARTICIPE

Présent	Passé
envoyant	envoyé(e)
	ayant envoyé

1ᵉʳ groupe

VERBES EN -eler

e devient **è** :
- aux trois personnes du singulier et à la 3e personne du pluriel du présent de l'indicatif et du subjonctif ;
- à la 2e personne du singulier du présent de l'impératif ;
- à toutes les personnes du futur simple de l'indicatif et du présent du conditionnel.

▶ Se conjuguent sur le modèle de *geler* : *aciseler, celer, ciseler, congeler, se crêpeler, déceler, décongeler, dégeler, démanteler, écarteler, embreler, s'encasteler, épinceler, friseler, harceler, marteler, modeler, peler, receler, recongeler, regeler, remodeler, surgeler.* Les autres verbes en *-eler* se conjuguent sur le modèle d'*appeler* (cf. 60).

geler

INDICATIF

Présent		Imparfait		Passé composé			Plus-que-parfait		
je	gèle	je	gelais	j'	ai	gelé	j'	avais	gelé
tu	gèles	tu	gelais	tu	as	gelé	tu	avais	gelé
il, elle	gèle	il, elle	gelait	il, elle	a	gelé	il, elle	avait	gelé
nous	gelons	nous	gelions	nous	avons	gelé	nous	avions	gelé
vous	gelez	vous	geliez	vous	avez	gelé	vous	aviez	gelé
ils, elles	gèlent	ils, elles	gelaient	ils, elles	ont	gelé	ils, elles	avaient	gelé

Passé simple		Futur simple		Passé antérieur			Futur antérieur		
je	gelai	je	gèlerai	j'	eus	gelé	j'	aurai	gelé
tu	gelas	tu	gèleras	tu	eus	gelé	tu	auras	gelé
il, elle	gela	il, elle	gèlera	il, elle	eut	gelé	il, elle	aura	gelé
nous	gelâmes	nous	gèlerons	nous	eûmes	gelé	nous	aurons	gelé
vous	gelâtes	vous	gèlerez	vous	eûtes	gelé	vous	aurez	gelé
ils, elles	gelèrent	ils, elles	gèleront	ils, elles	eurent	gelé	ils, elles	auront	gelé

SUBJONCTIF

Présent		Imparfait		Passé			Plus-que-parfait		
Il faut que...		*Il fallait que...*		*Il faut que...*			*Il fallait que...*		
je	gèle	je	gelasse	j'	aie	gelé	j'	eusse	gelé
tu	gèles	tu	gelasses	tu	aies	gelé	tu	eusses	gelé
il, elle	gèle	il, elle	gelât	il, elle	ait	gelé	il, elle	eût	gelé
nous	gelions	nous	gelassions	nous	ayons	gelé	nous	eussions	gelé
vous	geliez	vous	gelassiez	vous	ayez	gelé	vous	eussiez	gelé
ils, elles	gèlent	ils, elles	gelassent	ils, elles	aient	gelé	ils, elles	eussent	gelé

CONDITIONNEL

Présent		Passé 1re forme			Passé 2e forme		
je	gèlerais	j'	aurais	gelé	j'	eusse	gelé
tu	gèlerais	tu	aurais	gelé	tu	eusses	gelé
il, elle	gèlerait	il, elle	aurait	gelé	il, elle	eût	gelé
nous	gèlerions	nous	aurions	gelé	nous	eussions	gelé
vous	gèleriez	vous	auriez	gelé	vous	eussiez	gelé
ils, elles	gèleraient	ils, elles	auraient	gelé	ils, elles	eussent	gelé

IMPÉRATIF

Présent	Passé
gèle	aie gelé
gelons	ayons gelé
gelez	ayez gelé

INFINITIF

Présent	Passé
geler	avoir gelé

PARTICIPE

Présent	Passé
gelant	gelé(e)
	ayant gelé

y devient **yi** aux 1res et 2es personnes du pluriel de l'imparfait de l'indicatif et du présent du subjonctif.

● **y** est suivi d'un **e** à toutes les personnes du futur simple de l'indicatif et du présent du conditionnel. Pour ne pas l'oublier, il faut se rappeler que le futur simple de l'indicatif et le présent du conditionnel ajoutent leurs terminaisons à l'infinitif du verbe.

▶ **y** est conservé à toutes les formes, à la différence des verbes en *-ayer*, *-oyer* et *-uyer*.

grasseyer

INDICATIF

Présent		Imparfait		Passé composé			Plus-que-parfait		
je	grasse**ye**	je	grasse**yais**	j'	ai	grasseyé	j'	avais	grasseyé
tu	grasse**yes**	tu	grasse**yais**	tu	as	grasseyé	tu	avais	grasseyé
il, elle	grasse**ye**	il, elle	grasse**yait**	il, elle	a	grasseyé	il, elle	avait	grasseyé
nous	grasse**yons**	nous	grasse**yions**	nous	avons	grasseyé	nous	avions	grasseyé
vous	grasse**yez**	vous	grasse**yiez**	vous	avez	grasseyé	vous	aviez	grasseyé
ils, elles	grasse**yent**	ils, elles	grasse**yaient**	ils, elles	ont	grasseyé	ils, elles	avaient	grasseyé

Passé simple		Futur simple		Passé antérieur			Futur antérieur		
je	grasse**yai**	je	grasse**yerai**	j'	eus	grasseyé	j'	aurai	grasseyé
tu	grasse**yas**	tu	grasse**yeras**	tu	eus	grasseyé	tu	auras	grasseyé
il, elle	grasse**ya**	il, elle	grasse**yera**	il, elle	eut	grasseyé	il, elle	aura	grasseyé
nous	grasse**yâmes**	nous	grasse**yerons**	nous	eûmes	grasseyé	nous	aurons	grasseyé
vous	grasse**yâtes**	vous	grasse**yerez**	vous	eûtes	grasseyé	vous	aurez	grasseyé
ils, elles	grasse**yèrent**	ils, elles	grasse**yeront**	ils, elles	eurent	grasseyé	ils, elles	auront	grasseyé

SUBJONCTIF

Présent		Imparfait		Passé			Plus-que-parfait		
Il faut *que...*		Il fallait *que...*		Il faut *que...*			Il fallait *que...*		
je	grasse**ye**	je	grasse**yasse**	j'	aie	grasseyé	j'	eusse	grasseyé
tu	grasse**yes**	tu	grasse**yasses**	tu	aies	grasseyé	tu	eusses	grasseyé
il, elle	grasse**ye**	il, elle	grasse**yât**	il, elle	ait	grasseyé	il, elle	eût	grasseyé
nous	grasse**yions**	nous	grasse**yassions**	nous	ayons	grasseyé	nous	eussions	grasseyé
vous	grasse**yiez**	vous	grasse**yassiez**	vous	ayez	grasseyé	vous	eussiez	grasseyé
ils, elles	grasse**yent**	ils, elles	grasse**yassent**	ils, elles	aient	grasseyé	ils, elles	eussent	grasseyé

CONDITIONNEL

Présent		Passé 1re forme			Passé 2e forme		
je	grasse**yerais**	j'	aurais	grasseyé	j'	eusse	grasseyé
tu	grasse**yerais**	tu	aurais	grasseyé	tu	eusses	grasseyé
il, elle	grasse**yerait**	il, elle	aurait	grasseyé	il, elle	eût	grasseyé
nous	grasse**yerions**	nous	aurions	grasseyé	nous	eussions	grasseyé
vous	grasse**yeriez**	vous	auriez	grasseyé	vous	eussiez	grasseyé
ils, elles	grasse**yeraient**	ils, elles	auraient	grasseyé	ils, elles	eussent	grasseyé

IMPÉRATIF

Présent	Passé
grasse**ye**	aie grasseyé
grasse**yons**	ayons grasseyé
grasse**yez**	ayez grasseyé

INFINITIF

Présent	Passé
grasse**yer**	avoir grasseyé

PARTICIPE

Présent	Passé
grasse**yant**	grasse**yé(e)**
	ayant grasseyé

1er groupe

VERBES EN -eller

Le verbe *interpeller* garde **ll** à toutes les formes, même lorsque **e** se prononce [ə] et non [ɛ] ;
c'est le cas :
– aux 1res et 2es personnes du pluriel du présent de l'indicatif, du subjonctif et de l'impératif ;
– à toutes les personnes de l'imparfait et du passé simple de l'indicatif ;
– à toutes les personnes de l'imparfait du subjonctif ;
– à l'infinitif et au participe, présent et passé.
● **ll** devient **lli** aux 1res et 2es personnes du pluriel de l'imparfait de l'indicatif et du présent du subjonctif.

interpeller

INDICATIF

Présent		Imparfait		Passé composé			Plus-que-parfait		
j'	interpelle	j'	interpellais	j'	ai	interpellé	j'	avais	interpellé
tu	interpelles	tu	interpellais	tu	as	interpellé	tu	avais	interpellé
il, elle	interpelle	il, elle	interpellait	il, elle	a	interpellé	il, elle	avait	interpellé
nous	interpellons	nous	interpellions	nous	avons	interpellé	nous	avions	interpellé
vous	interpellez	vous	interpelliez	vous	avez	interpellé	vous	aviez	interpellé
ils, elles	interpellent	ils, elles	interpellaient	ils, elles	ont	interpellé	ils, elles	avaient	interpellé

Passé simple		Futur simple		Passé antérieur			Futur antérieur		
j'	interpellai	j'	interpellerai	j'	eus	interpellé	j'	aurai	interpellé
tu	interpellas	tu	interpelleras	tu	eus	interpellé	tu	auras	interpellé
il, elle	interpella	il, elle	interpellera	il, elle	eut	interpellé	il, elle	aura	interpellé
nous	interpellâmes	nous	interpellerons	nous	eûmes	interpellé	nous	aurons	interpellé
vous	interpellâtes	vous	interpellerez	vous	eûtes	interpellé	vous	aurez	interpellé
ils, elles	interpellèrent	ils, elles	interpelleront	ils, elles	eurent	interpellé	ils, elles	auront	interpellé

SUBJONCTIF

Présent		Imparfait		Passé			Plus-que-parfait		
Il faut que...		*Il fallait que...*		*Il faut que...*			*Il fallait que...*		
j'	interpelle	j'	interpellasse	j'	aie	interpellé	j'	eusse	interpellé
tu	interpelles	tu	interpellasses	tu	aies	interpellé	tu	eusses	interpellé
il, elle	interpelle	il, elle	interpellât	il, elle	ait	interpellé	il, elle	eût	interpellé
nous	interpellions	nous	interpellassions	nous	ayons	interpellé	nous	eussions	interpellé
vous	interpelliez	vous	interpellassiez	vous	ayez	interpellé	vous	eussiez	interpellé
ils, elles	interpellent	ils, elles	interpellassent	ils, elles	aient	interpellé	ils, elles	eussent	interpellé

CONDITIONNEL

Présent		Passé 1re forme			Passé 2e forme		
j'	interpellerais	j'	aurais	interpellé	j'	eusse	interpellé
tu	interpellerais	tu	aurais	interpellé	tu	eusses	interpellé
il, elle	interpellerait	il, elle	aurait	interpellé	il, elle	eût	interpellé
nous	interpellerions	nous	aurions	interpellé	nous	eussions	interpellé
vous	interpelleriez	vous	auriez	interpellé	vous	eussiez	interpellé
ils, elles	interpelleraient	ils, elles	auraient	interpellé	ils, elles	eussent	interpellé

IMPÉRATIF

Présent	Passé
interpelle	aie interpellé
interpellons	ayons interpellé
interpellez	ayez interpellé

INFINITIF

Présent	Passé
interpeller	avoir interpellé

PARTICIPE

Présent	Passé
interpellant	interpellé(e)
	ayant interpellé

t devient **tt** :
- aux trois personnes du singulier et à la 3e personne du pluriel du présent de l'indicatif et du subjonctif ;
- à la 2e personne du singulier du présent de l'impératif ;
- à toutes les personnes du futur simple de l'indicatif et du présent du conditionnel.

▶ Exceptions : *acheter, bégueter, bouveter, breveter, corseter, crocheter, fileter, fureter, haleter, préacheter, racheter* ne doublent pas le **t**, mais changent le **e** du radical en **è** (cf. *acheter*, 58).

jeter

INDICATIF

Présent		Imparfait		Passé composé			Plus-que-parfait		
je	jette	je	jetais	j'	ai	jeté	j'	avais	jeté
tu	jettes	tu	jetais	tu	as	jeté	tu	avais	jeté
il, elle	jette	il, elle	jetait	il, elle	a	jeté	il, elle	avait	jeté
nous	jetons	nous	jetions	nous	avons	jeté	nous	avions	jeté
vous	jetez	vous	jetiez	vous	avez	jeté	vous	aviez	jeté
ils, elles	jettent	ils, elles	jetaient	ils, elles	ont	jeté	ils, elles	avaient	jeté

Passé simple		Futur simple		Passé antérieur			Futur antérieur		
je	jetai	je	jetterai	j'	eus	jeté	j'	aurai	jeté
tu	jetas	tu	jetteras	tu	eus	jeté	tu	auras	jeté
il, elle	jeta	il, elle	jettera	il, elle	eut	jeté	il, elle	aura	jeté
nous	jetâmes	nous	jetterons	nous	eûmes	jeté	nous	aurons	jeté
vous	jetâtes	vous	jetterez	vous	eûtes	jeté	vous	aurez	jeté
ils, elles	jetèrent	ils, elles	jetteront	ils, elles	eurent	jeté	ils, elles	auront	jeté

SUBJONCTIF

Présent		Imparfait		Passé			Plus-que-parfait		
Il faut *que...*		Il fallait *que...*		Il faut *que...*			Il fallait *que...*		
je	jette	je	jetasse	j'	aie	jeté	j'	eusse	jeté
tu	jettes	tu	jetasses	tu	aies	jeté	tu	eusses	jeté
il, elle	jette	il, elle	jetât	il, elle	ait	jeté	il, elle	eût	jeté
nous	jetions	nous	jetassions	nous	ayons	jeté	nous	eussions	jeté
vous	jetiez	vous	jetassiez	vous	ayez	jeté	vous	eussiez	jeté
ils, elles	jettent	ils, elles	jetassent	ils, elles	aient	jeté	ils, elles	eussent	jeté

CONDITIONNEL

Présent		Passé 1re forme			Passé 2e forme		
je	jetterais	j'	aurais	jeté	j'	eusse	jeté
tu	jetterais	tu	aurais	jeté	tu	eusses	jeté
il, elle	jetterait	il, elle	aurait	jeté	il, elle	eût	jeté
nous	jetterions	nous	aurions	jeté	nous	eussions	jeté
vous	jetteriez	vous	auriez	jeté	vous	eussiez	jeté
ils, elles	jetteraient	ils, elles	auraient	jeté	ils, elles	eussent	jeté

IMPÉRATIF

Présent	Passé
jette	aie jeté
jetons	ayons jeté
jetez	ayez jeté

INFINITIF

Présent	Passé
jeter	avoir jeté

PARTICIPE

Présent	Passé
jetant	jeté(e)
	ayant jeté

1er groupe

VERBES EN -llier

i devient **ii** aux 1res et 2es personnes du pluriel de l'imparfait de l'indicatif et du présent du subjonctif.
● **i** est suivi d'un **e** à toutes les personnes du futur simple de l'indicatif et du présent du conditionnel. Pour ne pas l'oublier, il faut se rappeler que le futur simple de l'indicatif et le présent du conditionnel ajoutent leurs terminaisons à l'infinitif du verbe.

pallier

INDICATIF

Présent
je	pallie
tu	pallies
il, elle	pallie
nous	pallions
vous	palliez
ils, elles	pallient

Imparfait
je	palliais
tu	palliais
il, elle	palliait
nous	palliions
vous	palliiez
ils, elles	palliaient

Passé composé
j'	ai	pallié
tu	as	pallié
il, elle	a	pallié
nous	avons	pallié
vous	avez	pallié
ils, elles	ont	pallié

Plus-que-parfait
j'	avais	pallié
tu	avais	pallié
il, elle	avait	pallié
nous	avions	pallié
vous	aviez	pallié
ils, elles	avaient	pallié

Passé simple
je	palliai
tu	pallias
il, elle	pallia
nous	palliâmes
vous	palliâtes
ils, elles	pallièrent

Futur simple
je	pallierai
tu	pallieras
il, elle	palliera
nous	pallierons
vous	pallierez
ils, elles	pallieront

Passé antérieur
j'	eus	pallié
tu	eus	pallié
il, elle	eut	pallié
nous	eûmes	pallié
vous	eûtes	pallié
ils, elles	eurent	pallié

Futur antérieur
j'	aurai	pallié
tu	auras	pallié
il, elle	aura	pallié
nous	aurons	pallié
vous	aurez	pallié
ils, elles	auront	pallié

SUBJONCTIF

Présent
Il faut que...
je	pallie
tu	pallies
il, elle	pallie
nous	palliions
vous	palliiez
ils, elles	pallient

Imparfait
Il fallait que...
je	palliasse
tu	palliasses
il, elle	palliât
nous	palliassions
vous	palliassiez
ils, elles	palliassent

Passé
Il faut que...
j'	aie	pallié
tu	aies	pallié
il, elle	ait	pallié
nous	ayons	pallié
vous	ayez	pallié
ils, elles	aient	pallié

Plus-que-parfait
Il fallait que...
j'	eusse	pallié
tu	eusses	pallié
il, elle	eût	pallié
nous	eussions	pallié
vous	eussiez	pallié
ils, elles	eussent	pallié

CONDITIONNEL

Présent
je	pallierais
tu	pallierais
il, elle	pallierait
nous	pallierions
vous	pallieriez
ils, elles	pallieraient

Passé 1re forme
j'	aurais	pallié
tu	aurais	pallié
il, elle	aurait	pallié
nous	aurions	pallié
vous	auriez	pallié
ils, elles	auraient	pallié

Passé 2e forme
j'	eusse	pallié
tu	eusses	pallié
il, elle	eût	pallié
nous	eussions	pallié
vous	eussiez	pallié
ils, elles	eussent	pallié

IMPÉRATIF

Présent
pallie
pallions
palliez

Passé
aie pallié
ayons pallié
ayez pallié

INFINITIF

Présent
pallier

Passé
avoir pallié

PARTICIPE

Présent
palliant

Passé
pallié(e)
ayant pallié

parler

Présent		Imparfait		Passé composé			Plus-que-parfait		
je	parle	je	parlais	j'	ai	parlé	j'	avais	parlé
tu	parles	tu	parlais	tu	as	parlé	tu	avais	parlé
il, elle	parle	il, elle	parlait	il, elle	a	parlé	il, elle	avait	parlé
nous	parlons	nous	parlions	nous	avons	parlé	nous	avions	parlé
vous	parlez	vous	parliez	vous	avez	parlé	vous	aviez	parlé
ils, elles	parlent	ils, elles	parlaient	ils, elles	ont	parlé	ils, elles	avaient	parlé

Passé simple		Futur simple		Passé antérieur			Futur antérieur		
je	parlai	je	parlerai	j'	eus	parlé	j'	aurai	parlé
tu	parlas	tu	parleras	tu	eus	parlé	tu	auras	parlé
il, elle	parla	il, elle	parlera	il, elle	eut	parlé	il, elle	aura	parlé
nous	parlâmes	nous	parlerons	nous	eûmes	parlé	nous	aurons	parlé
vous	parlâtes	vous	parlerez	vous	eûtes	parlé	vous	aurez	parlé
ils, elles	parlèrent	ils, elles	parleront	ils, elles	eurent	parlé	ils, elles	auront	parlé

Présent		Imparfait		Passé			Plus-que-parfait		
*Il faut **que**...*		*Il fallait **que**...*		*Il faut **que**...*			*Il fallait **que**...*		
je	parle	je	parlasse	j'	aie	parlé	j'	eusse	parlé
tu	parles	tu	parlasses	tu	aies	parlé	tu	eusses	parlé
il, elle	parle	il, elle	parlât	il, elle	ait	parlé	il, elle	eût	parlé
nous	parlions	nous	parlassions	nous	ayons	parlé	nous	eussions	parlé
vous	parliez	vous	parlassiez	vous	ayez	parlé	vous	eussiez	parlé
ils, elles	parlent	ils, elles	parlassent	ils, elles	aient	parlé	ils, elles	eussent	parlé

Présent		Passé 1re forme			Passé 2e forme		
je	parlerais	j'	aurais	parlé	j'	eusse	parlé
tu	parlerais	tu	aurais	parlé	tu	eusses	parlé
il, elle	parlerait	il, elle	aurait	parlé	il, elle	eût	parlé
nous	parlerions	nous	aurions	parlé	nous	eussions	parlé
vous	parleriez	vous	auriez	parlé	vous	eussiez	parlé
ils, elles	parleraient	ils, elles	auraient	parlé	ils, elles	eussent	parlé

Présent	Passé
parle	aie parlé
parlons	ayons parlé
parlez	ayez parlé

Présent	Passé
parler	avoir parlé

Présent	Passé
parlant	parlé(e)
	ayant parlé

1er groupe

VERBES EN -ayer

y peut être remplacé par **i** :
- aux trois personnes du singulier et à la 3e personne du pluriel du présent de l'indicatif et du subjonctif ;
- à la 2e personne du singulier du présent de l'impératif ;
- à toutes les personnes du futur simple de l'indicatif et du présent du conditionnel.
- **y** devient **yi** aux 1res et 2es personnes du pluriel de l'imparfait de l'indicatif et du présent du subjonctif.
- **y** ou **i** sont suivis d'un **e** à toutes les personnes du futur simple de l'indicatif et du présent du conditionnel.

payer

INDICATIF

Présent
je	paye/paie
tu	payes/paies
il, elle	paye/paie
nous	payons
vous	payez
ils, elles	payent/paient

Imparfait
je	payais
tu	payais
il, elle	payait
nous	payions
vous	payiez
ils, elles	payaient

Passé composé
j'	ai	payé
tu	as	payé
il, elle	a	payé
nous	avons	payé
vous	avez	payé
ils, elles	ont	payé

Plus-que-parfait
j'	avais	payé
tu	avais	payé
il, elle	avait	payé
nous	avions	payé
vous	aviez	payé
ils, elles	avaient	payé

Passé simple
je	payai
tu	payas
il, elle	paya
nous	payâmes
vous	payâtes
ils, elles	payèrent

Futur simple
je	payerai/paierai
tu	payeras/paieras
il, elle	payera/paiera
nous	payerons/paierons
vous	payerez/paierez
ils, elles	payeront/paieront

Passé antérieur
j'	eus	payé
tu	eus	payé
il, elle	eut	payé
nous	eûmes	payé
vous	eûtes	payé
ils, elles	eurent	payé

Futur antérieur
j'	aurai	payé
tu	auras	payé
il, elle	aura	payé
nous	aurons	payé
vous	aurez	payé
ils, elles	auront	payé

SUBJONCTIF

Présent
Il faut **que...**
je	paye/paie
tu	payes/paies
il, elle	paye/paie
nous	payions
vous	payiez
ils, elles	payent/paient

Imparfait
Il fallait **que...**
je	payasse
tu	payasses
il, elle	payât
nous	payassions
vous	payassiez
ils, elles	payassent

Passé
Il faut **que...**
j'	aie	payé
tu	aies	payé
il, elle	ait	payé
nous	ayons	payé
vous	ayez	payé
ils, elles	aient	payé

Plus-que-parfait
Il fallait **que...**
j'	eusse	payé
tu	eusses	payé
il, elle	eût	payé
nous	eussions	payé
vous	eussiez	payé
ils, elles	eussent	payé

CONDITIONNEL

Présent
je	payerais/paierais
tu	payerais/paierais
il, elle	payerait/paierait
nous	payerions/paierions
vous	payeriez/paieriez
ils, elles	payeraient/paieraient

Passé 1re forme
j'	aurais	payé
tu	aurais	payé
il, elle	aurait	payé
nous	aurions	payé
vous	auriez	payé
ils, elles	auraient	payé

Passé 2e forme
j'	eusse	payé
tu	eusses	payé
il, elle	eût	payé
nous	eussions	payé
vous	eussiez	payé
ils, elles	eussent	payé

IMPÉRATIF

Présent
paye/paie
payons
payez

Passé
aie payé
ayons payé
ayez payé

INFINITIF

Présent
payer

Passé
avoir payé

PARTICIPE

Présent
payant

Passé
payé(e)
ayant payé

i devient **ii** aux 1res et 2es personnes du pluriel de l'imparfait de l'indicatif et du présent du subjonctif.
● i est suivi d'un **e** à toutes les personnes du futur simple de l'indicatif et du présent du conditionnel.
Pour ne pas l'oublier, il faut se rappeler que le futur simple de l'indicatif et le présent du conditionnel ajoutent leurs terminaisons à l'infinitif du verbe.

prier

INDICATIF

Présent		Imparfait		Passé composé			Plus-que-parfait		
je	prie	je	priais	j'	ai	prié	j'	avais	prié
tu	pries	tu	priais	tu	as	prié	tu	avais	prié
il, elle	prie	il, elle	priait	il, elle	a	prié	il, elle	avait	prié
nous	prions	nous	priions	nous	avons	prié	nous	avions	prié
vous	priez	vous	priiez	vous	avez	prié	vous	aviez	prié
ils, elles	prient	ils, elles	priaient	ils, elles	ont	prié	ils, elles	avaient	prié

Passé simple		Futur simple		Passé antérieur			Futur antérieur		
je	priai	je	prierai	j'	eus	prié	j'	aurai	prié
tu	prias	tu	prieras	tu	eus	prié	tu	auras	prié
il, elle	pria	il, elle	priera	il, elle	eut	prié	il, elle	aura	prié
nous	priâmes	nous	prierons	nous	eûmes	prié	nous	aurons	prié
vous	priâtes	vous	prierez	vous	eûtes	prié	vous	aurez	prié
ils, elles	prièrent	ils, elles	prieront	ils, elles	eurent	prié	ils, elles	auront	prié

SUBJONCTIF

Présent		Imparfait		Passé			Plus-que-parfait		
Il faut que...		*Il fallait que...*		*Il faut que...*			*Il fallait que...*		
je	prie	je	priasse	j'	aie	prié	j'	eusse	prié
tu	pries	tu	priasses	tu	aies	prié	tu	eusses	prié
il, elle	prie	il, elle	priât	il, elle	ait	prié	il, elle	eût	prié
nous	priions	nous	priassions	nous	ayons	prié	nous	eussions	prié
vous	priiez	vous	priassiez	vous	ayez	prié	vous	eussiez	prié
ils, elles	prient	ils, elles	priassent	ils, elles	aient	prié	ils, elles	eussent	prié

CONDITIONNEL

Présent		Passé 1re forme			Passé 2e forme		
je	prierais	j'	aurais	prié	j'	eusse	prié
tu	prierais	tu	aurais	prié	tu	eusses	prié
il, elle	prierait	il, elle	aurait	prié	il, elle	eût	prié
nous	prierions	nous	aurions	prié	nous	eussions	prié
vous	prieriez	vous	auriez	prié	vous	eussiez	prié
ils, elles	prieraient	ils, elles	auraient	prié	ils, elles	eussent	prié

IMPÉRATIF

Présent	Passé
prie	aie prié
prions	ayons prié
priez	ayez prié

INFINITIF

Présent	Passé
prier	avoir prié

PARTICIPE

Présent	Passé
priant	prié(e)
	ayant prié

1er groupe

VERBES EN -e(consonnes)er

e devient **è** :
- aux trois personnes du singulier et à la 3e personne du pluriel du présent de l'indicatif et du subjonctif ;
- à la 2e personne du singulier du présent de l'impératif ;
- à toutes les personnes du futur simple de l'indicatif et du présent du conditionnel.
▶ Les verbes en **-e(consonnes)er** correspondent à : **-e(m, n, p, s, v, vr)er**.

semer

INDICATIF

Présent		Imparfait		Passé composé			Plus-que-parfait		
je	sème	je	semais	j'	ai	semé	j'	avais	semé
tu	sèmes	tu	semais	tu	as	semé	tu	avais	semé
il, elle	sème	il, elle	semait	il, elle	a	semé	il, elle	avait	semé
nous	semons	nous	semions	nous	avons	semé	nous	avions	semé
vous	semez	vous	semiez	vous	avez	semé	vous	aviez	semé
ils, elles	sèment	ils, elles	semaient	ils, elles	ont	semé	ils, elles	avaient	semé

Passé simple		Futur simple		Passé antérieur			Futur antérieur		
je	semai	je	sèmerai	j'	eus	semé	j'	aurai	semé
tu	semas	tu	sèmeras	tu	eus	semé	tu	auras	semé
il, elle	sema	il, elle	sèmera	il, elle	eut	semé	il, elle	aura	semé
nous	semâmes	nous	sèmerons	nous	eûmes	semé	nous	aurons	semé
vous	semâtes	vous	sèmerez	vous	eûtes	semé	vous	aurez	semé
ils, elles	semèrent	ils, elles	sèmeront	ils, elles	eurent	semé	ils, elles	auront	semé

SUBJONCTIF

Présent		Imparfait		Passé			Plus-que-parfait		
Il faut *que...*		Il fallait *que...*		Il faut *que...*			Il fallait *que...*		
je	sème	je	semasse	j'	aie	semé	j'	eusse	semé
tu	sèmes	tu	semasses	tu	aies	semé	tu	eusses	semé
il, elle	sème	il, elle	semât	il, elle	ait	semé	il, elle	eût	semé
nous	semions	nous	semassions	nous	ayons	semé	nous	eussions	semé
vous	semiez	vous	semassiez	vous	ayez	semé	vous	eussiez	semé
ils, elles	sèment	ils, elles	semassent	ils, elles	aient	semé	ils, elles	eussent	semé

CONDITIONNEL

Présent		Passé 1re forme			Passé 2e forme		
je	sèmerais	j'	aurais	semé	j'	eusse	semé
tu	sèmerais	tu	aurais	semé	tu	eusses	semé
il, elle	sèmerait	il, elle	aurait	semé	il, elle	eût	semé
nous	sèmerions	nous	aurions	semé	nous	eussions	semé
vous	sèmeriez	vous	auriez	semé	vous	eussiez	semé
ils, elles	sèmeraient	ils, elles	auraient	semé	ils, elles	eussent	semé

IMPÉRATIF

Présent	Passé
sème	aie semé
semons	ayons semé
semez	ayez semé

INFINITIF

Présent	Passé
semer	avoir semé

PARTICIPE

Présent	Passé
semant	semé(e)
	ayant semé

gn devient **gni** aux 1res et 2es personnes du pluriel de l'imparfait de l'indicatif et du présent du subjonctif.

signer

INDICATIF

Présent	Imparfait	Passé composé	Plus-que-parfait
je signe	je signais	j' ai signé	j' avais signé
tu signes	tu signais	tu as signé	tu avais signé
il, elle signe	il, elle signait	il, elle a signé	il, elle avait signé
nous signons	nous signions	nous avons signé	nous avions signé
vous signez	vous signiez	vous avez signé	vous aviez signé
ils, elles signent	ils, elles signaient	ils, elles ont signé	ils, elles avaient signé

Passé simple	Futur simple	Passé antérieur	Futur antérieur
je signai	je signerai	j' eus signé	j' aurai signé
tu signas	tu signeras	tu eus signé	tu auras signé
il, elle signa	il, elle signera	il, elle eut signé	il, elle aura signé
nous signâmes	nous signerons	nous eûmes signé	nous aurons signé
vous signâtes	vous signerez	vous eûtes signé	vous aurez signé
ils, elles signèrent	ils, elles signeront	ils, elles eurent signé	ils, elles auront signé

SUBJONCTIF

Présent	Imparfait	Passé	Plus-que-parfait
Il faut que...	*Il fallait que...*	*Il faut que...*	*Il fallait que...*
je signe	je signasse	j' aie signé	j' eusse signé
tu signes	tu signasses	tu aies signé	tu eusses signé
il, elle signe	il, elle signât	il, elle ait signé	il, elle eût signé
nous signions	nous signassions	nous ayons signé	nous eussions signé
vous signiez	vous signassiez	vous ayez signé	vous eussiez signé
ils, elles signent	ils, elles signassent	ils, elles aient signé	ils, elles eussent signé

CONDITIONNEL

Présent		Passé 1re forme	Passé 2e forme
je signerais		j' aurais signé	j' eusse signé
tu signerais		tu aurais signé	tu eusses signé
il, elle signerait		il, elle aurait signé	il, elle eût signé
nous signerions		nous aurions signé	nous eussions signé
vous signeriez		vous auriez signé	vous eussiez signé
ils, elles signeraient		ils, elles auraient signé	ils, elles eussent signé

IMPÉRATIF

Présent	Passé
signe	aie signé
signons	ayons signé
signez	ayez signé

INFINITIF

Présent	Passé
signer	avoir signé

PARTICIPE

Présent	Passé
signant	signé(e)
	ayant signé

VERBES EN -er

▶ Le verbe tomber se conjugue avec l'auxiliaire être aux temps composés.
Se conjuguent sur le modèle de tomber les verbes pronominaux comme *s'absenter*, *s'affairer* ... et les verbes en -er comme *arriver*, *entrer*...

tomber

INDICATIF

Présent		Imparfait		Passé composé			Plus-que-parfait		
je	tombe	je	tombais	je	suis	tombé(e)	j'	étais	tombé(e)
tu	tombes	tu	tombais	tu	es	tombé(e)	tu	étais	tombé(e)
il, elle	tombe	il, elle	tombait	il, elle	est	tombé(e)	il, elle	était	tombé(e)
nous	tombons	nous	tombions	nous	sommes	tombé(e)s	nous	étions	tombé(e)s
vous	tombez	vous	tombiez	vous	êtes	tombé(e)s	vous	étiez	tombé(e)s
ils, elles	tombent	ils, elles	tombaient	ils, elles	sont	tombé(e)s	ils, elles	étaient	tombé(e)s

Passé simple		Futur simple		Passé antérieur			Futur antérieur		
je	tombai	je	tomberai	je	fus	tombé(e)	je	serai	tombé(e)
tu	tombas	tu	tomberas	tu	fus	tombé(e)	tu	seras	tombé(e)
il, elle	tomba	il, elle	tombera	il, elle	fut	tombé(e)	il, elle	sera	tombé(e)
nous	tombâmes	nous	tomberons	nous	fûmes	tombé(e)s	nous	serons	tombé(e)s
vous	tombâtes	vous	tomberez	vous	fûtes	tombé(e)s	vous	serez	tombé(e)s
ils, elles	tombèrent	ils, elles	tomberont	ils, elles	furent	tombé(e)s	ils, elles	seront	tombé(e)s

SUBJONCTIF

Présent		Imparfait		Passé			Plus-que-parfait		
Il faut que...		*Il fallait que...*		*Il faut que...*			*Il fallait que...*		
je	tombe	je	tombasse	je	sois	tombé(e)	je	fusse	tombé(e)
tu	tombes	tu	tombasses	tu	sois	tombé(e)	tu	fusses	tombé(e)
il, elle	tombe	il, elle	tombât	il, elle	soit	tombé(e)	il, elle	fût	tombé(e)
nous	tombions	nous	tombassions	nous	soyons	tombé(e)s	nous	fussions	tombé(e)s
vous	tombiez	vous	tombassiez	vous	soyez	tombé(e)s	vous	fussiez	tombé(e)s
ils, elles	tombent	ils, elles	tombassent	ils, elles	soient	tombé(e)s	ils, elles	fussent	tombé(e)s

CONDITIONNEL

Présent		Passé 1re forme			Passé 2e forme		
je	tomberais	je	serais	tombé(e)	je	fusse	tombé(e)
tu	tomberais	tu	serais	tombé(e)	tu	fusses	tombé(e)
il, elle	tomberait	il, elle	serait	tombé(e)	il, elle	fût	tombé(e)
nous	tomberions	nous	serions	tombé(e)s	nous	fussions	tombé(e)s
vous	tomberiez	vous	seriez	tombé(e)s	vous	fussiez	tombé(e)s
ils, elles	tomberaient	ils, elles	seraient	tombé(e)s	ils, elles	fussent	tombé(e)s

IMPÉRATIF

Présent	Passé
tombe	sois tombé(e)
tombons	soyons tombé(e)s
tombez	soyez tombé(e)s

INFINITIF

Présent	Passé
tomber	être tombé(e)

PARTICIPE

Présent	Passé
tombant	tombé(e)
	étant tombé

> Il devient **lli** aux 1res et 2es personnes du pluriel de l'imparfait de l'indicatif et du présent du subjonctif.
> ► â reste â dans les verbes *bâiller* et *entrebâiller*.

travailler

INDICATIF

Présent	Imparfait	Passé composé	Plus-que-parfait
je travaille	je travaillais	j' ai travaillé	j' avais travaillé
tu travailles	tu travaillais	tu as travaillé	tu avais travaillé
il, elle travaille	il, elle travaillait	il, elle a travaillé	il, elle avait travaillé
nous travaillons	nous travaillions	nous avons travaillé	nous avions travaillé
vous travaillez	vous travailliez	vous avez travaillé	vous aviez travaillé
ils, elles travaillent	ils, elles travaillaient	ils, elles ont travaillé	ils, elles avaient travaillé

Passé simple	Futur simple	Passé antérieur	Futur antérieur
je travaillai	je travaillerai	j' eus travaillé	j' aurai travaillé
tu travaillas	tu travailleras	tu eus travaillé	tu auras travaillé
il, elle travailla	il, elle travaillera	il, elle eut travaillé	il, elle aura travaillé
nous travaillâmes	nous travaillerons	nous eûmes travaillé	nous aurons travaillé
vous travaillâtes	vous travaillerez	vous eûtes travaillé	vous aurez travaillé
ils, elles travaillèrent	ils, elles travailleront	ils, elles eurent travaillé	ils, elles auront travaillé

SUBJONCTIF

Présent	Imparfait	Passé	Plus-que-parfait
Il faut *que...*	Il fallait *que...*	Il faut *que...*	Il fallait *que...*
je travaille	je travaillasse	j' aie travaillé	j' eusse travaillé
tu travailles	tu travaillasses	tu aies travaillé	tu eusses travaillé
il, elle travaille	il, elle travaillât	il, elle ait travaillé	il, elle eût travaillé
nous travaillions	nous travaillassions	nous ayons travaillé	nous eussions travaillé
vous travailliez	vous travaillassiez	vous ayez travaillé	vous eussiez travaillé
ils, elles travaillent	ils, elles travaillassent	ils, elles aient travaillé	ils, elles eussent travaillé

CONDITIONNEL

Présent		Passé 1re forme	Passé 2e forme
je travaillerais		j' aurais travaillé	j' eusse travaillé
tu travaillerais		tu aurais travaillé	tu eusses travaillé
il, elle travaillerait		il, elle aurait travaillé	il, elle eût travaillé
nous travaillerions		nous aurions travaillé	nous eussions travaillé
vous travailleriez		vous auriez travaillé	vous eussiez travaillé
ils, elles travailleraient		ils, elles auraient travaillé	ils, elles eussent travaillé

IMPÉRATIF

Présent	Passé
travaille	aie travaillé
travaillons	ayons travaillé
travaillez	ayez travaillé

INFINITIF

Présent	Passé
travailler	avoir travaillé

PARTICIPE

Présent	Passé
travaillant	travaillé(e)
	ayant travaillé

1er groupe

finir

INDICATIF

Présent		Imparfait		Passé composé			Plus-que-parfait		
je	finis	je	finissais	j'	ai	fini	j'	avais	fini
tu	finis	tu	finissais	tu	as	fini	tu	avais	fini
il, elle	finit	il, elle	finissait	il, elle	a	fini	il, elle	avait	fini
nous	finissons	nous	finissions	nous	avons	fini	nous	avions	fini
vous	finissez	vous	finissiez	vous	avez	fini	vous	aviez	fini
ils, elles	finissent	ils, elles	finissaient	ils, elles	ont	fini	ils, elles	avaient	fini

Passé simple		Futur simple		Passé antérieur			Futur antérieur		
je	finis	je	finirai	j'	eus	fini	j'	aurai	fini
tu	finis	tu	finiras	tu	eus	fini	tu	auras	fini
il, elle	finit	il, elle	finira	il, elle	eut	fini	il, elle	aura	fini
nous	finîmes	nous	finirons	nous	eûmes	fini	nous	aurons	fini
vous	finîtes	vous	finirez	vous	eûtes	fini	vous	aurez	fini
ils, elles	finirent	ils, elles	finiront	ils, elles	eurent	fini	ils, elles	auront	fini

SUBJONCTIF

Présent		Imparfait		Passé			Plus-que-parfait		
Il faut que...		*Il fallait que...*		*Il faut que...*			*Il fallait que...*		
je	finisse	je	finisse	j'	aie	fini	j'	eusse	fini
tu	finisses	tu	finisses	tu	aies	fini	tu	eusses	fini
il, elle	finisse	il, elle	finît	il, elle	ait	fini	il, elle	eût	fini
nous	finissions	nous	finissions	nous	ayons	fini	nous	eussions	fini
vous	finissiez	vous	finissiez	vous	ayez	fini	vous	eussiez	fini
ils, elles	finissent	ils, elles	finissent	ils, elles	aient	fini	ils, elles	eussent	fini

CONDITIONNEL

Présent		Passé 1re forme			Passé 2e forme		
je	finirais	j'	aurais	fini	j'	eusse	fini
tu	finirais	tu	aurais	fini	tu	eusses	fini
il, elle	finirait	il, elle	aurait	fini	il, elle	eût	fini
nous	finirions	nous	aurions	fini	nous	eussions	fini
vous	finiriez	vous	auriez	fini	vous	eussiez	fini
ils, elles	finiraient	ils, elles	auraient	fini	ils, elles	eussent	fini

IMPÉRATIF

Présent	Passé
finis	aie fini
finissons	ayons fini
finissez	ayez fini

INFINITIF

Présent	Passé
finir	avoir fini

PARTICIPE

Présent	Passé
finissant	fini(e)
	ayant fini

ï devient **i** :
- aux trois personnes du singulier du présent de l'indicatif ;
- à la 2e personne du singulier du présent de l'impératif.
ï reste **ï** :
- à la 1re et à la 2e personne du pluriel du passé simple de l'indicatif ;
- à la 3e personne du singulier de l'imparfait du subjonctif.

haïr

INDICATIF

Présent		Imparfait		Passé composé			Plus-que-parfait		
je	**hais**	je	**haïssais**	j'	ai	haï	j'	avais	haï
tu	**hais**	tu	**haïssais**	tu	as	haï	tu	avais	haï
il, elle	**hait**	il, elle	**haïssait**	il, elle	a	haï	il, elle	avait	haï
nous	**haïssons**	nous	**haïssions**	nous	avons	haï	nous	avions	haï
vous	**haïssez**	vous	**haïssiez**	vous	avez	haï	vous	aviez	haï
ils, elles	**haïssent**	ils, elles	**haïssaient**	ils, elles	ont	haï	ils, elles	avaient	haï

Passé simple		Futur simple		Passé antérieur			Futur antérieur		
je	**haïs**	je	**haïrai**	j'	eus	haï	j'	aurai	haï
tu	**haïs**	tu	**haïras**	tu	eus	haï	tu	auras	haï
il, elle	**haït**	il, elle	**haïra**	il, elle	eut	haï	il, elle	aura	haï
nous	**haïmes**	nous	**haïrons**	nous	eûmes	haï	nous	aurons	haï
vous	**haïtes**	vous	**haïrez**	vous	eûtes	haï	vous	aurez	haï
ils, elles	**haïrent**	ils, elles	**haïront**	ils, elles	eurent	haï	ils, elles	auront	haï

SUBJONCTIF

Présent		Imparfait		Passé			Plus-que-parfait		
*Il faut **que**...*		*Il fallait **que**...*		*Il faut **que**...*			*Il fallait **que**...*		
je	**haïsse**	je	**haïsse**	j'	aie	haï	j'	eusse	haï
tu	**haïsses**	tu	**haïsses**	tu	aies	haï	tu	eusses	haï
il, elle	**haïsse**	il, elle	**haït**	il, elle	ait	haï	il, elle	eût	haï
nous	**haïssions**	nous	**haïssions**	nous	ayons	haï	nous	eussions	haï
vous	**haïssiez**	vous	**haïssiez**	vous	ayez	haï	vous	eussiez	haï
ils, elles	**haïssent**	ils, elles	**haïssent**	ils, elles	aient	haï	ils, elles	eussent	haï

CONDITIONNEL

Présent		Passé 1re forme			Passé 2e forme		
je	**haïrais**	j'	aurais	haï	j'	eusse	haï
tu	**haïrais**	tu	aurais	haï	tu	eusses	haï
il, elle	**haïrait**	il, elle	aurait	haï	il, elle	eût	haï
nous	**haïrions**	nous	aurions	haï	nous	eussions	haï
vous	**haïriez**	vous	auriez	haï	vous	eussiez	haï
ils, elles	**haïraient**	ils, elles	auraient	haï	ils, elles	eussent	haï

IMPÉRATIF

Présent	Passé
hais	aie haï
haïssons	ayons haï
haïssez	ayez haï

INFINITIF

Présent	Passé
haïr	avoir haï

PARTICIPE

Présent	Passé
haïssant	haï(e)
	ayant haï

2e groupe

verbes en	n°	modèle	autres verbes	particularités orthographiques
-IR			présent en **-s, -s, -t** ; p. simple en **-is**	
-bouillir	113	**bouillir**	débouillir, rebouillir	présent en **-s, -s, -t** ; alternance **-bou-/-bouill-** ; p. simple en **-bouillis** ; p. passé en **-bouilli(e)** ; p. pst en **-bouillant**
-dormir	130	**dormir**	endormir, redormir, rendormir	présent en **-s, -s, -t** ; alternance **-dor-/-dorm-** ; p. simple en **-dormis** ; p. passé en **-dormi(e)** ; p. pst en **-dormant**
-entir	138	**mentir**	assentir, consentir, démentir, pressentir, se repentir, ressentir, sentir	présent en **-s, -s, -t** ; p. simple en **-entis** ; p. passé en **-enti(e)** ; p. pst en **-entant**
-fuir	133	**fuir**	s'enfuir	présent en **-s, -s, -t** ; alternance **-fui-/-fuy-** ; p. simple en **-fuis** ; p. passé en **-fui(e)** ; p. pst en **-fuyant**
-partir	147	**partir**	départir (avoir), repartir (être), repartir (avoir)	présent en **-s, -s, -t** ; p. simple en **-partis** ; p. passé en **-parti(e)** ; p. pst en **-partant**
-quérir	107	**acquérir**	conquérir, s'enquérir, reconquérir, requérir	présent en **-s, -s, -t** ; alternance **-quier-/-quér-/-quièr-/-querr-** ; p. simple en **-quis** ; p. passé en **-quis(e)** ; p. pst en **-quérant**
-servir	162	**servir**	desservir, resservir	présent en **-s, -s, -t** ; alternance **-ser-/-serv-** ; p. simple en **-servis** ; p. passé en **-servi(e)** ; p. pst en **-servant**
-sortir	163	**sortir**	ressortir	présent en **-s, -s, -t** ; p. simple en **-sortis** ; p. passé en **-sorti(e)** ; p. pst en **-sortant**

3e groupe

-IR				présent en **-s, -s, -t ; p. simple en -us**
-courir	**122**	**courir**	accourir, concourir, discourir, encourir, parcourir, recourir, secourir	présent en **-s, -s, -t** ; alternance **-cour-/-courr-** ; p. simple en **-courus** ; p. passé en **-couru(e)** ; p. pst en **-courant**
mourir	**142**			présent en **-s, -s, -t** ; alternance **mour-/meur-/mourr-** ; p. simple **mourus** ; p. passé **mort(e)** ; p. pst **mourant**

-IR				présent en **-s, -s, -t ; p. simple en -ins**
-tenir	**169**	**tenir**	s'abstenir, appartenir, contenir, détenir, entretenir, maintenir, obtenir, retenir, soutenir	présent en **-s, -s, -t** ; alternance **-tien-/-ten-** ; p. simple en **-tins** ; p. passé en **-tenu(e)** ; p. pst en **-tenant**
-venir	**176**	**venir**	circonvenir, contrevenir, convenir, devenir, disconvenir, intervenir, obvenir, parvenir, prévenir, provenir, redevenir, se ressouvenir, revenir, souvenir, subvenir, survenir	présent en **-s, -s, -t** ; alternance **-vien-/-ven-** ; p. simple en **-vins** ; p. passé en **-venu(e)** ; p. pst en **-venant**

-IR				présent en **-ts, -ts, -t ; p. simple en -is**
-vêtir	**177**	**vêtir**	dévêtir, revêtir	présent en **-ts, -ts, -t** ; p. simple en **-vêtis** ; p. passé en **-vêtu(e)** ; p. pst en **-vêtant**

-IR				présent en **-e, -es, -e ; p. simple en -is**
-cueillir	**126**	**cueillir**	accueillir, recueillir	présent en **-e, -es, -e** ; p. simple en **-cueillis** ; p. passé en **-cueilli(e)** ; p. pst en **-cueillant**
défaillir	**127**			présent en **-e, -es, -e** ; p. simple **défaillis** ; p. passé **défailli** ; p. pst **défaillant**

3ᵉ groupe

offrir	**145**			présent en **-e, -es, -e** ; p. simple **offris** ; p. passé **offert(e)** ; p. pst **offrant**
-ouvrir	**146**	**ouvrir**	couvrir, découvrir, entrouvrir, recouvrir, redécouvrir, rouvrir	présent en **-e, -es, -e** ; p. simple en **-ouvris** ; p. passé en **-ouvert(e)** ; p. pst en **-ouvrant**
-saillir	**172**	**tressaillir**	assaillir	présent en **-e, -es, -e** ; p. simple en **-saillis** ; p. passé en **-sailli(e)** ; p. pst en **-saillant**
souffrir	**164**			présent en **-e, -es, -e** ; p. simple **souffris** ; p. passé **souffert(e)** ; p. pst **souffrant**

● *VERBES MODÈLES DU 3e GROUPE EN -OIR*

verbes en	n°	modèle	autres verbes	particularités orthographiques
-OIR			présent en **-s, -s, -t** ; p. simple en **-is**	
-asseoir	**109**	**asseoir**	rasseoir	présent en **-s, -s, -t /** **-ds, -ds, -d** ; alternance **-assoi-/-assoy-/** **-assie-/-assey-/-ass-** ; p. simple en **-assis** ; p. passé en **-assis(e)** ; p. pst en **-asseyant/-assoyant**
prévoir	**154**			présent en **-s, -s, -t** ; alternance **prévoi-/prévoy-** ; p. simple **prévis** ; p. passé **prévu(e)** ; p. pst **prévoyant**
surseoir	**167**			présent en **-s, -s, -t** ; alternance **sursoi-/sursoy-/** **surseoir-** ; p. simple **sursis** ; p. passé **sursis(e)** ; p. pst **sursoyant**

3e groupe

-voir	179	**voir**	entre**voir**, re**voir**	présent en **-s, -s, -t** ; alternance **-voi-/-voy-/-verr-** ; p. simple en **-vis** ; p. passé en **-vu(e)** ; p. pst en **-voyant**

-OIR				présent en **-s, -s, -t** ; p. simple en **-us**
-cevoir	156	**recevoir**	aper**cevoir**, con**cevoir**, dé**cevoir**, entraper**cevoir**, per**cevoir**	présent en **-s, -s, -t** ; alternance **-çoi-/-cev-** ; p. simple en **-çus** ; p. passé en **-çu(e)** ; p. pst en **-cevant**
-devoir	128	**devoir**	re**devoir**	présent en **-s, -s, -t** ; alternance **-doi-/-dev-** ; p. simple en **-dus** ; p. passé en **-dû/-due** ; p. pst en **-devant**
-mouvoir	155	pro**mouvoir**	é**mouvoir**, **mouvoir**	présent en **-s, -s, -t** ; alternance **-meu-/-mouv-** ; p. simple en **-mus** ; p. passé en **-mu(e)**, sauf **mû/mue** (de **mouvoir**) ; p. pst en **-mouvant**
-pourvoir	151	**pourvoir**	dé**pourvoir**	présent en **-s, -s, -t** ; alternance **-pourvoi-/** **-pourvoy-** ; p. simple en **-pourvus** ; p. passé en **-pourvu(e)** ; p. pst en **-pourvoyant**
savoir	161			présent en **-s, -s, -t** ; alternance **sai-/sav-/sach-/** **saur-** ; p. simple **sus** ; p. passé **su(e)** ; p. pst **sachant**

-OIR				présent en **-x, -x, -t** ; p. simple en **-us**
pouvoir	152			présent en **-x, -x, -t** ; alternance **peu-/pouv-/** **puiss-/pourr-** ; p. simple **pus** ; p. passé **pu** ; p. pst **pouvant**

3e groupe

| -valoir | 174 | **valoir** | équivaloir, prévaloir revaloir | présent en **-x, -x, -t** ; alternance **-vau-/-val-/-vaill-/-vaudr-** ; p. simple en **-valus** ; p. passé en **-valu(e)** ; p. pst en **-valant** |
| -vouloir | 180 | **vouloir** | revouloir | présent en **-x, -x, -t** ; alternance **-veu-/-voul-/-veuill-/-voudr-** ; p. simple en **-voulus** ; p. passé en **-voulu(e)** ; p. pst en **voulant** |

● *VERBES MODÈLES DU 3e GROUPE EN -RE*

verbes en	n°	modèle	autres verbes	particularités orthographiques
-DRE			présent en **-ds, -ds, -d** ; p. simple en **-is**	
-coudre	121	**coudre**	découdre, recoudre	présent en **-ds, -ds, -d** ; alternance **-coud-/-cous-** ; p. simple en **-cousis** ; p. passé en **-cousu(e)** ; p. pst en **-cousant**
-endre	175	**vendre**	appendre, attendre, condescendre, défendre, dépendre, descendre, détendre, distendre, entendre, étendre, fendre, mévendre, pendre, pourfendre, prétendre, redescendre, réentendre, refendre, rendre, rependre, retendre, revendre, sous-entendre, sous-tendre, suspendre, tendre	présent en **-ds, -ds, -d** ; p. simple en **-endis** ; p. passé en **-endu(e)** ; p. présent en **-endant**
-épandre	157	**répandre**	épandre	présent en **-ds, -ds, -d** ; p. simple en **-épandis** ; p. passé en **-épandu(e)** ; p. pst en **-épandant**

3e groupe

-ondre	170	**tondre**	confondre, correspondre, fondre, morfondre, parfondre, pondre, refondre, répondre, retondre, surtondre	présent en **-ds, -ds, -d** ; p. simple en **-ondis** ; p. passé en **-ondu(e)** ; p. pst en **-ondant**
-ordre	140	**mordre**	démordre, détordre, distordre, remordre, retordre, tordre	présent en **-ds, -ds, -d** ; p. simple en **-ordis** ; p. passé en **-ordu(e)** ; p. pst en **-ordant**
-perdre	149	**perdre**	éperdre, reperdre	présent en **-ds, -ds, -d** ; p. simple en **-perdis** ; p. passé en **-perdu(e)** ; p. pst en **-perdant**
-prendre	153	**prendre**	apprendre, comprendre, déprendre, désapprendre, entreprendre, éprendre, se méprendre, rapprendre, réapprendre, reprendre, surprendre	présent en **-ds, -ds, -d** ; alternance **-prend-/-pren-** ; p. simple en **-pris** ; p. passé en **-pris(e)** ; p. pst en **-prenant**

-DRE			présent en **-ds, -ds, -d** ; p. simple en **-us**	
-moudre	141	**moudre**	émoudre, remoudre	présent en **-ds, -ds, -d,** **-moulons, -moulez,** **-moulent** ; alternance **-moud-/-moul-** ; p. simple en **-moulus** ; p. passé en **-moulu(e)** ; p. pst en **-moulant**

-INDRE			présent en **-s, -s, -t** ; p. simple en **-is**	
-aindre	123	**craindre**	contraindre, plaindre	présent en **-s, -s, -t** ; alternance **-ain-/-aign-** ; p. simple en **-aignis** ; p. passé en **-aint(e)** ; p. pst en **-aignant**
-eindre	148	**peindre**	atteindre, aveindre, ceindre, dépeindre, déteindre, enceindre, éteindre, feindre, geindre, repeindre, reteindre, teindre	présent en **-s, -s, -t** ; alternance **-ein-/-eign-** ; p. simple en **-eignis** ; p. passé en **-eint(e)** ; p. pst en **-eignant**

3e groupe

| -oindre | 134 | **joindre** | adjoindre, conjoindre, disjoindre, enjoindre, oindre, poindre, rejoindre | présent en **-s, -s, -t** ; alternance **-oin-/-oign-** ; p. simple en **-oignis** ; p. passé en **-oint(e)** ; p. pst en **-oignant** |
| -reindre | 110 | **astreindre** | empreindre, enfreindre, étreindre, restreindre, rétreindre | présent en **-s, -s, -t** ; alternance **-rein-/-reign-** ; p. simple en **-reignis** ; p. passé en **-reint(e)** ; p. pst en **-reignant** |

-SOUDRE				présent en **-s, -s, -t** ; p. simple en **-us**
-soudre	105	**absoudre**	dissoudre	présent en **-s, -s, -t** ; alternance **-sou-/-sol-/-solv-** ; p. simple en **-solus** (rare) ; p. passé en **-sous/-soute** ; p. pst en **-solvant**
résoudre	158			présent en **-s, -s, -t** ; alternance **résou-/résolv-** ; p. simple **résolus** ; p. passé **résolu(e)** ; p. pst **résolvant**

-TTRE				perdent un **t** du radical au présent : **-ts, -ts, -t** ; p. simple en **-is**
-battre	111	**battre**	abattre, combattre, contrebattre, débattre, s'ébattre, embattre, s'entrebattre, rabattre, rebattre, soubattre	présent en **-ts, -ts, -t** ; alternance **-bat-/-batt-** ; p. simple en **-battis** ; p. passé en **-battu(e)** ; p. pst en **-battant**
-mettre	139	**mettre**	admettre, commettre, compromettre, décommettre, démettre, émettre, s'entremettre, mainmettre, omettre, permettre, promettre, réadmettre, remettre, retransmettre, soumettre, transmettre	présent en **-ts, -ts, -t** ; alternance **-met-/-mett-** ; p. simple en **-mis** ; p. passé en **-mis(e)** ; p. pst en **-mettant**

3ᵉ groupe

-TRE		perdent le **t** du radical au présent : **-s, -s, -t** ; p. simple en **-us** sauf **naître**		
-aître	118	connaître	apparaître, comparaître, entr'apparaître, disparaître, méconnaître, paraître, réapparaître, recomparaître, reconnaître, repaître, reparaître, transparaître	présent en **-s, -s, -t** ; alternance **-ai-/-aî-/-aiss-** ; p. simple en **-us** ; p. passé en **-u(e)** ; p. pst en **-aissant** ; accent circonflexe
croître	125			présent en **-s, -s, -t** ; alternance **croî-/croiss-** ; p. simple **crûs** ; p. passé **crû, crue** ; p. pst **croissant**
-croître	106	accroître	décroître, recroître	présent en **-s, -s, -t** ; alternance **-crois-/-croî-/-croiss-** ; p. simple en **-crus** ; p. passé en **-cru(e)**, sauf recrû/recrue (de recroître) ; p. pst en **-croissant**
naître	143			présent en **-s, -s, -t, naissons, naissez, naissent** ; alternance **nai-/-naiss-/naqu-** ; p. simple **naquis** ; p. passé **né(e)** ; p. pst **naissant** ; accent circonflexe
-IRE		présent en **-s, -s, -t** ; p. simple en **-is** sauf **lire** et ses composés		
circoncire	114			présent en **-s, -s, -t** ; p. simple **circoncis** ; p. passé **circoncis(e)** ; p. pst **circoncisant**
-confire	117	confire	déconfire	présent en **-s, -s, -t** ; p. simple en **-confis** ; p. passé en **-confit(e)** ; p. pst en **-confisant**
-crire	131	écrire	circonscrire, décrire, inscrire, prescrire, proscrire, récrire, réécrire, réinscrire, retranscrire, souscrire, transcrire	présent en **-s, -s, -t** ; alternance **-cri-/-criv-** ; p. simple en **-crivis** ; p. passé en **-crit(e)** ; p. pst en **-crivant**

3e groupe

101

-dire	129	**dire**	redire	présent en **-s, -s, -t,** **-disons, -dites, -disent**; alternance **-di-/-dis-** ; p. simple en **-dis** ; p. passé en **-dit(e)** ; p. pst en **-disant**
	120	**contredire**	dédire, interdire, médire, prédire	présent en **-s, -s, -t,** **-disons, -disez, -disent** ; alternance **-di-/-dis-** ; p. simple en **-dis** ; p. passé en **-dit(e)** ; p. pst en **-disant**
-lire	135	**lire**	élire, réélire, relire	présent en **-s, -s, -t** ; alternance **-li-/-lis-** ; p. simple en **-lus** ; p. passé en **-lu(e)** ; p. pst en **-lisant**
maudire	137			présent en **-s, -s, -t,** **-issons, -issez, -issent** ; alternance **maudi-/** **maudiss-** ; p. simple **maudis** ; p. passé **maudit(e)** ; p. pst **maudissant**
-rire	159	**rire**	sourire	présent en **-s, -s, -t** ; p. simple en **-ris** ; p. passé en **-ri** ; p. pst en **-riant**
suffire	165			présent en **-s, -s, -t** ; p. simple **suffis** ; p. passé **suffi** ; p. pst **suffisant**

-AIRE				présent en **-s, -s, -t** ; p. simple en **-is** ou **-us**
-faire	132	**faire**	contrefaire, défaire, redéfaire, refaire, satisfaire, surfaire	présent en **-s, -s, -t,** **-faisons, -faites, -font** ; alternance **-fai-/-fer-** ; p. simple en **-fis** ; p. passé en **-fait(e)** ; p. pst en **-faisant**
-plaire	150	**plaire**	complaire, déplaire	présent en **-s, -s, -t** ; alternance **-plai-/-plais-** ; p. simple en **-plus** ; p. passé en **-plu** ; p. pst en **-plaisant**

-raire	**171**	**traire**	abstraire, distraire, extraire, portraire, **raire**, rentraire, retraire, soustraire	présent en **-s**, **-s**, **-t** ; alternance **-rai-/-ray-** ; p. passé en **-rait(e)** ; p. pst en **-rayant**
taire	**168**			présent en **-s**, **-s**, **-t** ; p. simple **tus** ; p. passé **tu(e)** ; p. pst **taisant**

-OIRE				présent en **-s**, **-s**, **-t** ; p. simple en **-us**
-boire	**112**	**boire**	emboire	présent en **-s**, **-s**, **-t** ; alternance **-boi-/-bu-/-buv-/-boiv-** ; p. simple en **-bus** ; p. passé en **-bu(e)** ; p. pst en **-buvant**
croire	**124**			présent en **-s**, **-s**, **-t** ; alternance **croi-/croy-** ; p. simple **crus** ; p. passé **cru(e)** ; p. pst **croyant**

-UIRE				présent en **-s**, **-s**, **-t** ; p. simple en **-is**
-uire	**116**	**conduire**	coproduire, cuire, décuire, déduire, éconduire, enduire, induire, introduire, se méconduire, produire, reconduire, recuire, réduire, réintroduire, reproduire, retraduire, séduire, surproduire, traduire	présent en **-s**, **-s**, **-t** ; alternance **-ui-/-uis-** ; p. simple en **-uis** ; p. passé en **-uit(e)** ; p. pst en **-uisant**
-luire	**136**	**luire**	reluire	présent en **-s**, **-s**, **-t** ; alternance **-lui-/-luis-** ; p. simple en **-luisis** ; p. passé en **-lui** ; p. pst en **-luisant**
-nuire	**144**	**nuire**	s'entrenuire, s'entre-**nuire**	présent en **-s**, **-s**, **-t** ; p. simple en **-nuisis** ; p. passé en **-nui** ; p. pst en **-nuisant**
-truire	**119**	**construire**	s'autodétruire, déconstruire, détruire, s'entre-détruire, instruire, reconstruire	présent en **-s**, **-s**, **-t** ; p. simple en **-truisis** ; p. passé en **-truit(e)** ; p. pst en **-truisant**

3e groupe

-clure, -rompre, -suivre, -vaincre, -vivre

-clure	115	**conclure**	exclure, inclure, occlure	présent en **-s, -s, -t** ; p. simple en **-clus** ; p. passé en **-clu(e)**, sauf in**clus(e)**, oc**clus(e)** ; p. pst en **-cluant**
-rompre	160	**rompre**	corrompre, interrompre	présent en **-s, -s, -t** ; p. simple en **-rompis** ; p. passé en **-rompu(e)** ; p. pst en **-rompant**
-suivre	166	**suivre**	poursuivre	présent en **-s, -s, -t** ; alternance **-sui-/-suiv-** ; p. simple en **-suivis** ; p. passé en **-suivi(e)** ; p. pst en **-suivant**
-vaincre	173	**vaincre**	convaincre	présent en **-cs, -cs, -c** ; alternance **-vainc-/-vainqu-** ; p. simple en **-vainquis** ; p. passé en **-vaincu(e)** ; p. pst en **-vainquant**
-vivre	178	**vivre**	revivre, survivre	présent en **-s, -s, -t** ; alternance **-vi-/-viv-/-véc-** ; p. simple en **-vécus** ; p. passé en **-vécu(e)** ; p. pst en **-vivant**

3e groupe

● *VERBE MODÈLE DU 3e GROUPE EN -ER*

verbe en	n°	modèle	autres verbes	particularités orthographiques
aller	108			présent en **vais, vas, va, allons, allez, vont** ; alternance **va(i)-/all-/ir-/aill-** ; p. simple **allai** ; p. passé **allé(e)** ; p. pst **allant**

▶ Se conjugue sur le modèle d'*absoudre* : *dissoudre*.
▶ Les anciennes formes du participe passé *absolu(e)* et *dissolu(e)* ne subsistent plus que sous la forme d'adjectifs qualificatifs, respectivement au sens de « sans restriction, sans réserve » et « débauché, corrompu ».

absoudre

INDICATIF

Présent		Imparfait		Passé composé			Plus-que-parfait		
j'	absous	j'	absolvais	j'	ai	absous	j'	avais	absous
tu	absous	tu	absolvais	tu	as	absous	tu	avais	absous
il, elle	absout	il, elle	absolvait	il, elle	a	absous	il, elle	avait	absous
nous	absolvons	nous	absolvions	nous	avons	absous	nous	avions	absous
vous	absolvez	vous	absolviez	vous	avez	absous	vous	aviez	absous
ils, elles	absolvent	ils, elles	absolvaient	ils, elles	ont	absous	ils, elles	avaient	absous

Passé simple (rare)		Futur simple		Passé antérieur			Futur antérieur		
j'	absolus	j'	absoudrai	j'	eus	absous	j'	aurai	absous
tu	absolus	tu	absoudras	tu	eus	absous	tu	auras	absous
il, elle	absolut	il, elle	absoudra	il, elle	eut	absous	il, elle	aura	absous
nous	absolûmes	nous	absoudrons	nous	eûmes	absous	nous	aurons	absous
vous	absolûtes	vous	absoudrez	vous	eûtes	absous	vous	aurez	absous
ils, elles	absolurent	ils, elles	absoudront	ils, elles	eurent	absous	ils, elles	auront	absous

SUBJONCTIF

Présent		Imparfait (rare)		Passé			Plus-que-parfait		
Il faut *que...*		Il fallait *que...*		Il faut *que...*			Il fallait *que...*		
j'	absolve	j'	absolusse	j'	aie	absous	j'	eusse	absous
tu	absolves	tu	absolusses	tu	aies	absous	tu	eusses	absous
il, elle	absolve	il, elle	absolût	il, elle	ait	absous	il, elle	eût	absous
nous	absolvions	nous	absolussions	nous	ayons	absous	nous	eussions	absous
vous	absolviez	vous	absolussiez	vous	ayez	absous	vous	eussiez	absous
ils, elles	absolvent	ils, elles	absolussent	ils, elles	aient	absous	ils, elles	eussent	absous

CONDITIONNEL

Présent		Passé 1re forme			Passé 2e forme		
j'	absoudrais	j'	aurais	absous	j'	eusse	absous
tu	absoudrais	tu	aurais	absous	tu	eusses	absous
il, elle	absoudrait	il, elle	aurait	absous	il, elle	eût	absous
nous	absoudrions	nous	aurions	absous	nous	eussions	absous
vous	absoudriez	vous	auriez	absous	vous	eussiez	absous
ils, elles	absoudraient	ils, elles	auraient	absous	ils, elles	eussent	absous

IMPÉRATIF

Présent	Passé
absous	aie absous
absolvons	ayons absous
absolvez	ayez absous

INFINITIF

Présent	Passé
absoudre	avoir absous

PARTICIPE

Présent	Passé
absolvant	absous, absoute
	ayant absous

3e groupe

VERBES EN -croître

î reste î, lorsqu'il est suivi d'un **t**, c'est-à-dire :
- à l'infinitif ;
- à la 3e personne du singulier du présent de l'indicatif ;
- à toutes les personnes du futur simple de l'indicatif et du présent du conditionnel.
▶ Se conjuguent sur le modèle d'a**ccroître** : dé**croître** (*être* ou *avoir*), re**croître**.
▶ Le participe passé du verbe *recroître* prend un accent circonflexe sur le **u** au masculin singulier : *recrû*.

accroître

INDICATIF

Présent		Imparfait		Passé composé			Plus-que-parfait		
j'	ac**crois**	j'	ac**croissais**	j'	ai	accru	j'	avais	accru
tu	ac**crois**	tu	ac**croissais**	tu	as	accru	tu	avais	accru
il, elle	ac**croît**	il, elle	ac**croissait**	il, elle	a	accru	il, elle	avait	accru
nous	ac**croissons**	nous	ac**croissions**	nous	avons	accru	nous	avions	accru
vous	ac**croissez**	vous	ac**croissiez**	vous	avez	accru	vous	aviez	accru
ils, elles	ac**croissent**	ils, elles	ac**croissaient**	ils, elles	ont	accru	ils, elles	avaient	accru

Passé simple		Futur simple		Passé antérieur			Futur antérieur		
j'	ac**crus**	j'	ac**croîtrai**	j'	eus	accru	j'	aurai	accru
tu	ac**crus**	tu	ac**croîtras**	tu	eus	accru	tu	auras	accru
il, elle	ac**crut**	il, elle	ac**croîtra**	il, elle	eut	accru	il, elle	aura	accru
nous	ac**crûmes**	nous	ac**croîtrons**	nous	eûmes	accru	nous	aurons	accru
vous	ac**crûtes**	vous	ac**croîtrez**	vous	eûtes	accru	vous	aurez	accru
ils, elles	ac**crurent**	ils, elles	ac**croîtront**	ils, elles	eurent	accru	ils, elles	auront	accru

SUBJONCTIF

Présent		Imparfait		Passé			Plus-que-parfait		
Il faut **que**...		Il fallait **que**...		Il faut **que**...			Il fallait **que**...		
j'	ac**croisse**	j'	ac**crusse**	j'	aie	accru	j'	eusse	accru
tu	ac**croisses**	tu	ac**crusses**	tu	aies	accru	tu	eusses	accru
il, elle	ac**croisse**	il, elle	ac**crût**	il, elle	ait	accru	il, elle	eût	accru
nous	ac**croissions**	nous	ac**crussions**	nous	ayons	accru	nous	eussions	accru
vous	ac**croissiez**	vous	ac**crussiez**	vous	ayez	accru	vous	eussiez	accru
ils, elles	ac**croissent**	ils, elles	ac**crussent**	ils, elles	aient	accru	ils, elles	eussent	accru

CONDITIONNEL

Présent		Passé 1re forme			Passé 2e forme		
j'	ac**croîtrais**	j'	aurais	accru	j'	eusse	accru
tu	ac**croîtrais**	tu	aurais	accru	tu	eusses	accru
il, elle	ac**croîtrait**	il, elle	aurait	accru	il, elle	eût	accru
nous	ac**croîtrions**	nous	aurions	accru	nous	eussions	accru
vous	ac**croîtriez**	vous	auriez	accru	vous	eussiez	accru
ils, elles	ac**croîtraient**	ils, elles	auraient	accru	ils, elles	eussent	accru

IMPÉRATIF

Présent	Passé
ac**crois**	aie accru
ac**croissons**	ayons accru
ac**croissez**	ayez accru

INFINITIF

Présent	Passé
ac**croître**	avoir accru

PARTICIPE

Présent	Passé
ac**croissant**	ac**cru(e)**
	ayant accru

▶ Se conjuguent sur le modèle d'*acquérir* : *conquérir, s'enquérir* (pronominal avec l'auxiliaire *être*), *reconquérir, requérir.*

acquérir

INDICATIF

Présent		Imparfait		Passé composé			Plus-que-parfait		
j'	acquiers	j'	acquérais	j'	ai	acquis	j'	avais	acquis
tu	acquiers	tu	acquérais	tu	as	acquis	tu	avais	acquis
il, elle	acquiert	il, elle	acquérait	il, elle	a	acquis	il, elle	avait	acquis
nous	acquérons	nous	acquérions	nous	avons	acquis	nous	avions	acquis
vous	acquérez	vous	acquériez	vous	avez	acquis	vous	aviez	acquis
ils, elles	acquièrent	ils, elles	acquéraient	ils, elles	ont	acquis	ils, elles	avaient	acquis

Passé simple		Futur simple		Passé antérieur			Futur antérieur		
j'	acquis	j'	acquerrai	j'	eus	acquis	j'	aurai	acquis
tu	acquis	tu	acquerras	tu	eus	acquis	tu	auras	acquis
il, elle	acquit	il, elle	acquerra	il, elle	eut	acquis	il, elle	aura	acquis
nous	acquîmes	nous	acquerrons	nous	eûmes	acquis	nous	aurons	acquis
vous	acquîtes	vous	acquerrez	vous	eûtes	acquis	vous	aurez	acquis
ils, elles	acquirent	ils, elles	acquerront	ils, elles	eurent	acquis	ils, elles	auront	acquis

SUBJONCTIF

Présent		Imparfait		Passé			Plus-que-parfait		
Il faut *que*...		Il fallait *que*...		Il faut *que*...			Il fallait *que*...		
j'	acquière	j'	acquisse	j'	aie	acquis	j'	eusse	acquis
tu	acquières	tu	acquisses	tu	aies	acquis	tu	eusses	acquis
il, elle	acquière	il, elle	acquît	il, elle	ait	acquis	il, elle	eût	acquis
nous	acquérions	nous	acquissions	nous	ayons	acquis	nous	eussions	acquis
vous	acquériez	vous	acquissiez	vous	ayez	acquis	vous	eussiez	acquis
ils, elles	acquièrent	ils, elles	acquissent	ils, elles	aient	acquis	ils, elles	eussent	acquis

CONDITIONNEL

Présent		Passé 1re forme			Passé 2e forme		
j'	acquerrais	j'	aurais	acquis	j'	eusse	acquis
tu	acquerrais	tu	aurais	acquis	tu	eusses	acquis
il, elle	acquerrait	il, elle	aurait	acquis	il, elle	eût	acquis
nous	acquerrions	nous	aurions	acquis	nous	eussions	acquis
vous	acquerriez	vous	auriez	acquis	vous	eussiez	acquis
ils, elles	acquerraient	ils, elles	auraient	acquis	ils, elles	eussent	acquis

IMPÉRATIF

Présent	Passé
acquiers	aie acquis
acquérons	ayons acquis
acquérez	ayez acquis

INFINITIF

Présent	Passé
acquérir	avoir acquis

PARTICIPE

Présent	Passé
acquérant	acquis(e)
	ayant acquis

3e groupe

▶ Malgré son infinitif en **-er**, le verbe *aller* appartient au 3e groupe.

aller

INDICATIF

Présent		Imparfait		Passé composé			Plus-que-parfait		
je	vais	j'	allais	je	suis	allé(e)	j'	étais	allé(e)
tu	vas	tu	allais	tu	es	allé(e)	tu	étais	allé(e)
il, elle	va	il, elle	allait	il, elle	est	allé(e)	il, elle	était	allé(e)
nous	allons	nous	allions	nous	sommes	allé(e)s	nous	étions	allé(e)s
vous	allez	vous	alliez	vous	êtes	allé(e)s	vous	étiez	allé(e)s
ils, elles	vont	ils, elles	allaient	ils, elles	sont	allé(e)s	ils, elles	étaient	allé(e)s

Passé simple		Futur simple		Passé antérieur			Futur antérieur		
j'	allai	j'	irai	je	fus	allé(e)	je	serai	allé(e)
tu	allas	tu	iras	tu	fus	allé(e)	tu	seras	allé(e)
il, elle	alla	il, elle	ira	il, elle	fut	allé(e)	il, elle	sera	allé(e)
nous	allâmes	nous	irons	nous	fûmes	allé(e)s	nous	serons	allé(e)s
vous	allâtes	vous	irez	vous	fûtes	allé(e)s	vous	serez	allé(e)s
ils, elles	allèrent	ils, elles	iront	ils, elles	furent	allé(e)s	ils, elles	seront	allé(e)s

SUBJONCTIF

Présent		Imparfait		Passé			Plus-que-parfait		
Il faut que...		*Il fallait que...*		*Il faut que...*			*Il fallait que...*		
j'	aille	j'	allasse	je	sois	allé(e)	je	fusse	allé(e)
tu	ailles	tu	allasses	tu	sois	allé(e)	tu	fusses	allé(e)
il, elle	aille	il, elle	allât	il, elle	soit	allé(e)	il, elle	fût	allé(e)
nous	allions	nous	allassions	nous	soyons	allé(e)s	nous	fussions	allé(e)s
vous	alliez	vous	allassiez	vous	soyez	allé(e)s	vous	fussiez	allé(e)s
ils, elles	aillent	ils, elles	allassent	ils, elles	soient	allé(e)s	ils, elles	fussent	allé(e)s

CONDITIONNEL

Présent		Passé 1re forme			Passé 2e forme		
j'	irais	je	serais	allé(e)	je	fusse	allé(e)
tu	irais	tu	serais	allé(e)	tu	fusses	allé(e)
il, elle	irait	il, elle	serait	allé(e)	il, elle	fût	allé(e)
nous	irions	nous	serions	allé(e)s	nous	fussions	allé(e)s
vous	iriez	vous	seriez	allé(e)s	vous	fussiez	allé(e)s
ils, elles	iraient	ils, elles	seraient	allé(e)s	ils, elles	fussent	allé(e)s

IMPÉRATIF

Présent	Passé
va	sois allé(e)
allons	soyons allé(e)s
allez	soyez allé(e)s

INFINITIF

Présent	Passé
aller	être allé(e)

PARTICIPE

Présent	Passé
allant	allé(e)
	étant allé(e)

y devient **yi** aux 1res et 2es personnes du pluriel de l'imparfait de l'indicatif et du présent du subjonctif.
▶ Se conjugue sur le modèle d'*asseoir* : *rasseoir*.

asseoir

INDICATIF

Présent		Imparfait		Passé composé		Plus-que-parfait	
j'	assois/assieds	j'	assoyais/asseyais	j'	ai assis	j'	avais assis
tu	assois/assieds	tu	assoyais/asseyais	tu	as assis	tu	avais assis
il, elle	assoit/assied	il, elle	assoyait/asseyait	il, elle	a assis	il, elle	avait assis
nous	assoyons/asseyons	nous	assoyions/asseyions	nous	avons assis	nous	avions assis
vous	assoyez/asseyez	vous	assoyiez/asseyiez	vous	avez assis	vous	aviez assis
ils, elles	assoient/asseyent	ils, elles	assoyaient/asseyaient	ils, elles	ont assis	ils, elles	avaient assis

Passé simple		Futur simple		Passé antérieur		Futur antérieur	
j'	assis	j'	assoirai/assiérai	j'	eus assis	j'	aurai assis
tu	assis	tu	assoiras/assiéras	tu	eus assis	tu	auras assis
il, elle	assit	il, elle	assoira/assiéra	il, elle	eut assis	il, elle	aura assis
nous	assîmes	nous	assoirons/assiérons	nous	eûmes assis	nous	aurons assis
vous	assîtes	vous	assoirez/assiérez	vous	eûtes assis	vous	aurez assis
ils, elles	assirent	ils, elles	assoiront/assiéront	ils, elles	eurent assis	ils, elles	auront assis

SUBJONCTIF

Présent		Imparfait		Passé		Plus-que-parfait	
Il faut que...		*Il fallait que...*		*Il faut que...*		*Il fallait que...*	
j'	assoie/asseye	j'	assisse	j'	aie assis	j'	eusse assis
tu	assoies/asseyes	tu	assisses	tu	aies assis	tu	eusses assis
il, elle	assoie/asseye	il, elle	assît	il, elle	ait assis	il, elle	eût assis
nous	assoyions/asseyions	nous	assissions	nous	ayons assis	nous	eussions assis
vous	assoyiez/asseyiez	vous	assissiez	vous	ayez assis	vous	eussiez assis
ils, elles	assoient/asseyent	ils, elles	assissent	ils, elles	aient assis	ils, elles	eussent assis

CONDITIONNEL

Présent		Passé 1re forme		Passé 2e forme	
j'	assoirais/assiérais	j'	aurais assis	j'	eusse assis
tu	assoirais/assiérais	tu	aurais assis	tu	eusses assis
il, elle	assoirait/assiérait	il, elle	aurait assis	il, elle	eût assis
nous	assoirions/assiérions	nous	aurions assis	nous	eussions assis
vous	assoiriez/assiériez	vous	auriez assis	vous	eussiez assis
ils, elles	assoiraient/assiéraient	ils, elles	auraient assis	ils, elles	eussent assis

IMPÉRATIF

Présent	Passé
assois/assieds	aie assis
assoyons/asseyons	ayons assis
assoyez/asseyez	ayez assis

INFINITIF

Présent	Passé
asseoir	avoir assis

PARTICIPE

Présent	Passé
assoyant/asseyant	assis(e)
	ayant assis

3e groupe

VERBES EN -boire

▶ Se conjugue sur le modèle de *boire* : em**boire**.

boire

INDICATIF

Présent		Imparfait		Passé composé			Plus-que-parfait		
je	bois	je	buvais	j'	ai	bu	j'	avais	bu
tu	bois	tu	buvais	tu	as	bu	tu	avais	bu
il, elle	boit	il, elle	buvait	il, elle	a	bu	il, elle	avait	bu
nous	buvons	nous	buvions	nous	avons	bu	nous	avions	bu
vous	buvez	vous	buviez	vous	avez	bu	vous	aviez	bu
ils, elles	boivent	ils, elles	buvaient	ils, elles	ont	bu	ils, elles	avaient	bu

Passé simple		Futur simple		Passé antérieur			Futur antérieur		
je	bus	je	boirai	j'	eus	bu	j'	aurai	bu
tu	bus	tu	boiras	tu	eus	bu	tu	auras	bu
il, elle	but	il, elle	boira	il, elle	eut	bu	il, elle	aura	bu
nous	bûmes	nous	boirons	nous	eûmes	bu	nous	aurons	bu
vous	bûtes	vous	boirez	vous	eûtes	bu	vous	aurez	bu
ils, elles	burent	ils, elles	boiront	ils, elles	eurent	bu	ils, elles	auront	bu

SUBJONCTIF

Présent		Imparfait		Passé			Plus-que-parfait		
Il faut que...		*Il fallait que...*		*Il faut que...*			*Il fallait que...*		
je	boive	je	busse	j'	aie	bu	j'	eusse	bu
tu	boives	tu	busses	tu	aies	bu	tu	eusses	bu
il, elle	boive	il, elle	bût	il, elle	ait	bu	il, elle	eût	bu
nous	buvions	nous	bussions	nous	ayons	bu	nous	eussions	bu
vous	buviez	vous	bussiez	vous	ayez	bu	vous	eussiez	bu
ils, elles	boivent	ils, elles	bussent	ils, elles	aient	bu	ils, elles	eussent	bu

CONDITIONNEL

Présent		Passé 1re forme			Passé 2e forme		
je	boirais	j'	aurais	bu	j'	eusse	bu
tu	boirais	tu	aurais	bu	tu	eusses	bu
il, elle	boirait	il, elle	aurait	bu	il, elle	eût	bu
nous	boirions	nous	aurions	bu	nous	eussions	bu
vous	boiriez	vous	auriez	bu	vous	eussiez	bu
ils, elles	boiraient	ils, elles	auraient	bu	ils, elles	eussent	bu

IMPÉRATIF

Présent	Passé
bois	aie bu
buvons	ayons bu
buvez	ayez bu

INFINITIF

Présent	Passé
boire	avoir bu

PARTICIPE

Présent	Passé
buvant	bu(e)
	ayant bu

3e groupe

Il devient **lli** aux 1res et 2es personnes du pluriel de l'imparfait de l'indicatif et du présent du subjonctif.
▶ Se conjuguent sur le modèle de *bouillir* : dé**bouillir**, re**bouillir**.

bouillir

INDICATIF

Présent		Imparfait		Passé composé			Plus-que-parfait		
je	bous	je	bouillais	j'	ai	bouilli	j'	avais	bouilli
tu	bous	tu	bouillais	tu	as	bouilli	tu	avais	bouilli
il, elle	bout	il, elle	bouillait	il, elle	a	bouilli	il, elle	avait	bouilli
nous	bouillons	nous	bouillions	nous	avons	bouilli	nous	avions	bouilli
vous	bouillez	vous	bouilliez	vous	avez	bouilli	vous	aviez	bouilli
ils, elles	bouillent	ils, elles	bouillaient	ils, elles	ont	bouilli	ils, elles	avaient	bouilli

Passé simple		Futur simple		Passé antérieur			Futur antérieur		
je	bouillis	je	bouillirai	j'	eus	bouilli	j'	aurai	bouilli
tu	bouillis	tu	bouilliras	tu	eus	bouilli	tu	auras	bouilli
il, elle	bouillit	il, elle	bouillira	il, elle	eut	bouilli	il, elle	aura	bouilli
nous	bouillîmes	nous	bouillirons	nous	eûmes	bouilli	nous	aurons	bouilli
vous	bouillîtes	vous	bouillirez	vous	eûtes	bouilli	vous	aurez	bouilli
ils, elles	bouillirent	ils, elles	bouilliront	ils, elles	eurent	bouilli	ils, elles	auront	bouilli

SUBJONCTIF

Présent		Imparfait		Passé			Plus-que-parfait		
Il faut que...		*Il fallait que...*		*Il faut que...*			*Il fallait que...*		
je	bouille	je	bouillisse	j'	aie	bouilli	j'	eusse	bouilli
tu	bouilles	tu	bouillisses	tu	aies	bouilli	tu	eusses	bouilli
il, elle	bouille	il, elle	bouillît	il, elle	ait	bouilli	il, elle	eût	bouilli
nous	bouillions	nous	bouillissions	nous	ayons	bouilli	nous	eussions	bouilli
vous	bouilliez	vous	bouillissiez	vous	ayez	bouilli	vous	eussiez	bouilli
ils, elles	bouillent	ils, elles	bouillissent	ils, elles	aient	bouilli	ils, elles	eussent	bouilli

CONDITIONNEL

Présent		Passé 1re forme			Passé 2e forme		
je	bouillirais	j'	aurais	bouilli	j'	eusse	bouilli
tu	bouillirais	tu	aurais	bouilli	tu	eusses	bouilli
il, elle	bouillirait	il, elle	aurait	bouilli	il, elle	eût	bouilli
nous	bouillirions	nous	aurions	bouilli	nous	eussions	bouilli
vous	bouilliriez	vous	auriez	bouilli	vous	eussiez	bouilli
ils, elles	bouilliraient	ils, elles	auraient	bouilli	ils, elles	eussent	bouilli

IMPÉRATIF

Présent	Passé
bous	aie bouilli
bouillons	ayons bouilli
bouillez	ayez bouilli

INFINITIF

Présent	Passé
bouillir	avoir bouilli

PARTICIPE

Présent	Passé
bouillant	bouilli(e)
	ayant bouilli

3e groupe

i devient î lorsqu'il est suivi d'un **t**, c'est-à-dire :
- à l'infinitif ;
- à la 3e personne du singulier du présent de l'indicatif ;
- à toutes les personnes du futur simple de l'indicatif et du présent du conditionnel.
► Se conjuguent sur le modèle de *connaître* : *apparaître* (*être* ou *avoir*), *comparaître*, *disparaître* (*être* ou *avoir*), *méconnaître*, *paraître* (*être* ou *avoir*), *réapparaître* (*être* ou *avoir*), *recomparaître*, *reconnaître*, *repaître*, *reparaître* (*être* ou *avoir*), *transparaître* (*être* ou *avoir*).

connaître

INDICATIF

Présent		Imparfait		Passé composé			Plus-que-parfait		
je	connais	je	connaissais	j'	ai	connu	j'	avais	connu
tu	connais	tu	connaissais	tu	as	connu	tu	avais	connu
il, elle	connaît	il, elle	connaissait	il, elle	a	connu	il, elle	avait	connu
nous	connaissons	nous	connaissions	nous	avons	connu	nous	avions	connu
vous	connaissez	vous	connaissiez	vous	avez	connu	vous	aviez	connu
ils, elles	connaissent	ils, elles	connaissaient	ils, elles	ont	connu	ils, elles	avaient	connu

Passé simple		Futur simple		Passé antérieur			Futur antérieur		
je	connus	je	connaîtrai	j'	eus	connu	j'	aurai	connu
tu	connus	tu	connaîtras	tu	eus	connu	tu	auras	connu
il, elle	connut	il, elle	connaîtra	il, elle	eut	connu	il, elle	aura	connu
nous	connûmes	nous	connaîtrons	nous	eûmes	connu	nous	aurons	connu
vous	connûtes	vous	connaîtrez	vous	eûtes	connu	vous	aurez	connu
ils, elles	connurent	ils, elles	connaîtront	ils, elles	eurent	connu	ils, elles	auront	connu

SUBJONCTIF

Présent		Imparfait		Passé			Plus-que-parfait		
Il faut que...		*Il fallait que...*		*Il faut que...*			*Il fallait que...*		
je	connaisse	je	connusse	j'	aie	connu	j'	eusse	connu
tu	connaisses	tu	connusses	tu	aies	connu	tu	eusses	connu
il, elle	connaisse	il, elle	connût	il, elle	ait	connu	il, elle	eût	connu
nous	connaissions	nous	connussions	nous	ayons	connu	nous	eussions	connu
vous	connaissiez	vous	connussiez	vous	ayez	connu	vous	eussiez	connu
ils, elles	connaissent	ils, elles	connussent	ils, elles	aient	connu	ils, elles	eussent	connu

CONDITIONNEL

Présent		Passé 1re forme			Passé 2e forme		
je	connaîtrais	j'	aurais	connu	j'	eusse	connu
tu	connaîtrais	tu	aurais	connu	tu	eusses	connu
il, elle	connaîtrait	il, elle	aurait	connu	il, elle	eût	connu
nous	connaîtrions	nous	aurions	connu	nous	eussions	connu
vous	connaîtriez	vous	auriez	connu	vous	eussiez	connu
ils, elles	connaîtraient	ils, elles	auraient	connu	ils, elles	eussent	connu

IMPÉRATIF

Présent	Passé
connais	aie connu
connaissons	ayons connu
connaissez	ayez connu

INFINITIF

Présent	Passé
connaître	avoir connu

PARTICIPE

Présent	Passé
connaissant	connu(e)
	ayant connu

▶ Se conjuguent sur le modèle de *construire* : *s'autodétruire*, *déconstruire*, *détruire*, *s'entre-détruire* (pronominal avec l'auxiliaire *être*), *instruire*, *reconstruire*.

construire

INDICATIF

Présent	Imparfait	Passé composé	Plus-que-parfait
je construis	je construisais	j' ai construit	j' avais construit
tu construis	tu construisais	tu as construit	tu avais construit
il, elle construit	il, elle construisait	il, elle a construit	il, elle avait construit
nous construisons	nous construisions	nous avons construit	nous avions construit
vous construisez	vous construisiez	vous avez construit	vous aviez construit
ils, elles construisent	ils, elles construisaient	ils, elles ont construit	ils, elles avaient construit

Passé simple	Futur simple	Passé antérieur	Futur antérieur
je construisis	je construirai	j' eus construit	j' aurai construit
tu construisis	tu construiras	tu eus construit	tu auras construit
il, elle construisit	il, elle construira	il, elle eut construit	il, elle aura construit
nous construisîmes	nous construirons	nous eûmes construit	nous aurons construit
vous construisîtes	vous construirez	vous eûtes construit	vous aurez construit
ils, elles construisirent	ils, elles construiront	ils, elles eurent construit	ils, elles auront construit

SUBJONCTIF

Présent	Imparfait	Passé	Plus-que-parfait
Il faut que...	*Il fallait que...*	*Il faut que...*	*Il fallait que...*
je construise	je construisisse	j' aie construit	j' eusse construit
tu construises	tu construisisses	tu aies construit	tu eusses construit
il, elle construise	il, elle construisît	il, elle ait construit	il, elle eût construit
nous construisions	nous construisissions	nous ayons construit	nous eussions construit
vous construisiez	vous construisissiez	vous ayez construit	vous eussiez construit
ils, elles construisent	ils, elles construisissent	ils, elles aient construit	ils, elles eussent construit

CONDITIONNEL

Présent	Passé 1re forme	Passé 2e forme
je construirais	j' aurais construit	j' eusse construit
tu construirais	tu aurais construit	tu eusses construit
il, elle construirait	il, elle aurait construit	il, elle eût construit
nous construirions	nous aurions construit	nous eussions construit
vous construiriez	vous auriez construit	vous eussiez construit
ils, elles construiraient	ils, elles auraient construit	ils, elles eussent construit

IMPÉRATIF

Présent	Passé
construis	aie construit
construisons	ayons construit
construisez	ayez construit

INFINITIF

Présent	Passé
construire	avoir construit

PARTICIPE

Présent	Passé
construisant	construit(e)
	ayant construit

3e groupe

VERBES EN -courir

r devient **rr** à toutes les personnes du futur simple de l'indicatif et du présent du conditionnel.
► Se conjuguent sur le modèle de *courir* : ac**courir** (*être* ou *avoir*), con**courir**, dis**courir**, en**courir**, par**courir**, re**courir**, se**courir**.
► Le participe passé *discouru* est invariable.

courir

INDICATIF

Présent		Imparfait		Passé composé			Plus-que-parfait		
je	cours	je	courais	j'	ai	couru	j'	avais	couru
tu	cours	tu	courais	tu	as	couru	tu	avais	couru
il, elle	court	il, elle	courait	il, elle	a	couru	il, elle	avait	couru
nous	courons	nous	courions	nous	avons	couru	nous	avions	couru
vous	courez	vous	couriez	vous	avez	couru	vous	aviez	couru
ils, elles	courent	ils, elles	couraient	ils, elles	ont	couru	ils, elles	avaient	couru

Passé simple		Futur simple		Passé antérieur			Futur antérieur		
je	courus	je	courrai	j'	eus	couru	j'	aurai	couru
tu	courus	tu	courras	tu	eus	couru	tu	auras	couru
il, elle	courut	il, elle	courra	il, elle	eut	couru	il, elle	aura	couru
nous	courûmes	nous	courrons	nous	eûmes	couru	nous	aurons	couru
vous	courûtes	vous	courrez	vous	eûtes	couru	vous	aurez	couru
ils, elles	coururent	ils, elles	courront	ils, elles	eurent	couru	ils, elles	auront	couru

SUBJONCTIF

Présent		Imparfait		Passé			Plus-que-parfait		
Il faut que...		*Il fallait que...*		*Il faut que...*			*Il fallait que...*		
je	coure	je	courusse	j'	aie	couru	j'	eusse	couru
tu	coures	tu	courusses	tu	aies	couru	tu	eusses	couru
il, elle	coure	il, elle	courût	il, elle	ait	couru	il, elle	eût	couru
nous	courions	nous	courussions	nous	ayons	couru	nous	eussions	couru
vous	couriez	vous	courussiez	vous	ayez	couru	vous	eussiez	couru
ils, elles	courent	ils, elles	courussent	ils, elles	aient	couru	ils, elles	eussent	couru

CONDITIONNEL

Présent		Passé 1re forme			Passé 2e forme		
je	courrais	j'	aurais	couru	j'	eusse	couru
tu	courrais	tu	aurais	couru	tu	eusses	couru
il, elle	courrait	il, elle	aurait	couru	il, elle	eût	couru
nous	courrions	nous	aurions	couru	nous	eussions	couru
vous	courriez	vous	auriez	couru	vous	eussiez	couru
ils, elles	courraient	ils, elles	auraient	couru	ils, elles	eussent	couru

IMPÉRATIF

Présent	Passé
cours	aie couru
courons	ayons couru
courez	ayez couru

INFINITIF

Présent	Passé
courir	avoir couru

PARTICIPE

Présent	Passé
courant	couru(e)
	ayant couru

3e groupe

gn devient **gni** aux 1res et 2es personnes du pluriel de l'imparfait de l'indicatif et du présent du subjonctif.
▶ Se conjuguent sur le modèle de *craindre* : *contraindre, plaindre*.

craindre

INDICATIF

Présent		Imparfait		Passé composé			Plus-que-parfait		
je	crains	je	craignais	j'	ai	craint	j'	avais	craint
tu	crains	tu	craignais	tu	as	craint	tu	avais	craint
il, elle	craint	il, elle	craignait	il, elle	a	craint	il, elle	avait	craint
nous	craignons	nous	craignions	nous	avons	craint	nous	avions	craint
vous	craignez	vous	craigniez	vous	avez	craint	vous	aviez	craint
ils, elles	craignent	ils, elles	craignaient	ils, elles	ont	craint	ils, elles	avaient	craint

Passé simple		Futur simple		Passé antérieur			Futur antérieur		
je	craignis	je	craindrai	j'	eus	craint	j'	aurai	craint
tu	craignis	tu	craindras	tu	eus	craint	tu	auras	craint
il, elle	craignit	il, elle	craindra	il, elle	eut	craint	il, elle	aura	craint
nous	craignîmes	nous	craindrons	nous	eûmes	craint	nous	aurons	craint
vous	craignîtes	vous	craindrez	vous	eûtes	craint	vous	aurez	craint
ils, elles	craignirent	ils, elles	craindront	ils, elles	eurent	craint	ils, elles	auront	craint

SUBJONCTIF

Présent		Imparfait		Passé			Plus-que-parfait		
Il faut que...		*Il fallait que...*		*Il faut que...*			*Il fallait que...*		
je	craigne	je	craignisse	j'	aie	craint	j'	eusse	craint
tu	craignes	tu	craignisses	tu	aies	craint	tu	eusses	craint
il, elle	craigne	il, elle	craignît	il, elle	ait	craint	il, elle	eût	craint
nous	craignions	nous	craignissions	nous	ayons	craint	nous	eussions	craint
vous	craigniez	vous	craignissiez	vous	ayez	craint	vous	eussiez	craint
ils, elles	craignent	ils, elles	craignissent	ils, elles	aient	craint	ils, elles	eussent	craint

CONDITIONNEL

Présent		Passé 1re forme			Passé 2e forme		
je	craindrais	j'	aurais	craint	j'	eusse	craint
tu	craindrais	tu	aurais	craint	tu	eusses	craint
il, elle	craindrait	il, elle	aurait	craint	il, elle	eût	craint
nous	craindrions	nous	aurions	craint	nous	eussions	craint
vous	craindriez	vous	auriez	craint	vous	eussiez	craint
ils, elles	craindraient	ils, elles	auraient	craint	ils, elles	eussent	craint

IMPÉRATIF

Présent	Passé
crains	aie craint
craignons	ayons craint
craignez	ayez craint

INFINITIF

Présent	Passé
craindre	avoir craint

PARTICIPE

Présent	Passé
craignant	craint(e)
	ayant craint

VERBES EN -devoir

u devient û au participe passé masculin singulier.
▶ Se conjugue sur le modèle de *devoir* : re**devoir**.

devoir

INDICATIF

Présent
je	**dois**
tu	**dois**
il, elle	**doit**
nous	**devons**
vous	**devez**
ils, elles	**doivent**

Imparfait
je	**devais**
tu	**devais**
il, elle	**devait**
nous	**devions**
vous	**deviez**
ils, elles	**devaient**

Passé composé
j'	ai	dû
tu	as	dû
il, elle	a	dû
nous	avons	dû
vous	avez	dû
ils, elles	ont	dû

Plus-que-parfait
j'	avais	dû
tu	avais	dû
il, elle	avait	dû
nous	avions	dû
vous	aviez	dû
ils, elles	avaient	dû

Passé simple
je	**dus**
tu	**dus**
il, elle	**dut**
nous	**dûmes**
vous	**dûtes**
ils, elles	**durent**

Futur simple
je	**devrai**
tu	**devras**
il, elle	**devra**
nous	**devrons**
vous	**devrez**
ils, elles	**devront**

Passé antérieur
j'	eus	dû
tu	eus	dû
il, elle	eut	dû
nous	eûmes	dû
vous	eûtes	dû
ils, elles	eurent	dû

Futur antérieur
j'	aurai	dû
tu	auras	dû
il, elle	aura	dû
nous	aurons	dû
vous	aurez	dû
ils, elles	auront	dû

SUBJONCTIF

Présent
Il faut que...
je	**doive**
tu	**doives**
il, elle	**doive**
nous	**devions**
vous	**deviez**
ils, elles	**doivent**

Imparfait
Il fallait que...
je	**dusse**
tu	**dusses**
il, elle	**dût**
nous	**dussions**
vous	**dussiez**
ils, elles	**dussent**

Passé
Il faut que...
j'	aie	dû
tu	aies	dû
il, elle	ait	dû
nous	ayons	dû
vous	ayez	dû
ils, elles	aient	dû

Plus-que-parfait
Il fallait que...
j'	eusse	dû
tu	eusses	dû
il, elle	eût	dû
nous	eussions	dû
vous	eussiez	dû
ils, elles	eussent	dû

CONDITIONNEL

Présent
je	**devrais**
tu	**devrais**
il, elle	**devrait**
nous	**devrions**
vous	**devriez**
ils, elles	**devraient**

Passé 1re forme
j'	aurais	dû
tu	aurais	dû
il, elle	aurait	dû
nous	aurions	dû
vous	auriez	dû
ils, elles	auraient	dû

Passé 2e forme
j'	eusse	dû
tu	eusses	dû
il, elle	eût	dû
nous	eussions	dû
vous	eussiez	dû
ils, elles	eussent	dû

IMPÉRATIF

Présent
dois
devons
devez

Passé
aie dû
ayons dû
ayez dû

INFINITIF

Présent
devoir

Passé
avoir dû

PARTICIPE

Présent
devant

Passé
dû, due
ayant dû

La 2e personne du pluriel du présent de l'indicatif et de l'impératif est **dites**.
▶ Se conjugue sur le modèle de *dire* : re**dire**.
Les autres verbes en **-dire** : dé**dire**, inter**dire**, mé**dire**, pré**dire** se conjuguent sur le modèle de *contre**dire***
(cf. *contre**dire***, 120).

dire

INDICATIF

Présent		Imparfait		Passé composé			Plus-que-parfait		
je	**dis**	je	**disais**	j'	ai	dit	j'	avais	dit
tu	**dis**	tu	**disais**	tu	as	dit	tu	avais	dit
il, elle	**dit**	il, elle	**disait**	il, elle	a	dit	il, elle	avait	dit
nous	**disons**	nous	**disions**	nous	avons	dit	nous	avions	dit
vous	**dites**	vous	**disiez**	vous	avez	dit	vous	aviez	dit
ils, elles	**disent**	ils, elles	**disaient**	ils, elles	ont	dit	ils, elles	avaient	dit

Passé simple		Futur simple		Passé antérieur			Futur antérieur		
je	**dis**	je	**dirai**	j'	eus	dit	j'	aurai	dit
tu	**dis**	tu	**diras**	tu	eus	dit	tu	auras	dit
il, elle	**dit**	il, elle	**dira**	il, elle	eut	dit	il, elle	aura	dit
nous	**dîmes**	nous	**dirons**	nous	eûmes	dit	nous	aurons	dit
vous	**dîtes**	vous	**direz**	vous	eûtes	dit	vous	aurez	dit
ils, elles	**dirent**	ils, elles	**diront**	ils, elles	eurent	dit	ils, elles	auront	dit

SUBJONCTIF

Présent		Imparfait		Passé			Plus-que-parfait		
Il faut que...		*Il fallait que...*		*Il faut que...*			*Il fallait que...*		
je	**dise**	je	**disse**	j'	aie	dit	j'	eusse	dit
tu	**dises**	tu	**disses**	tu	aies	dit	tu	eusses	dit
il, elle	**dise**	il, elle	**dît**	il, elle	ait	dit	il, elle	eût	dit
nous	**disions**	nous	**dissions**	nous	ayons	dit	nous	eussions	dit
vous	**disiez**	vous	**dissiez**	vous	ayez	dit	vous	eussiez	dit
ils, elles	**disent**	ils, elles	**dissent**	ils, elles	aient	dit	ils, elles	eussent	dit

CONDITIONNEL

Présent		Passé 1re forme			Passé 2e forme		
je	**dirais**	j'	aurais	dit	j'	eusse	dit
tu	**dirais**	tu	aurais	dit	tu	eusses	dit
il, elle	**dirait**	il, elle	aurait	dit	il, elle	eût	dit
nous	**dirions**	nous	aurions	dit	nous	eussions	dit
vous	**diriez**	vous	auriez	dit	vous	eussiez	dit
ils, elles	**diraient**	ils, elles	auraient	dit	ils, elles	eussent	dit

IMPÉRATIF

Présent	Passé
dis	aie dit
disons	ayons dit
dites	ayez dit

INFINITIF

Présent	Passé
dire	avoir dit

PARTICIPE

Présent	Passé
disant	**dit(e)**
	ayant dit

3e groupe

▶ Se conjugue sur le modèle de *luire* : *reluire*.

luire

INDICATIF

Présent		Imparfait		Passé composé			Plus-que-parfait		
je	luis	je	luisais	j'	ai	lui	j'	avais	lui
tu	luis	tu	luisais	tu	as	lui	tu	avais	lui
il, elle	luit	il, elle	luisait	il, elle	a	lui	il, elle	avait	lui
nous	luisons	nous	luisions	nous	avons	lui	nous	avions	lui
vous	luisez	vous	luisiez	vous	avez	lui	vous	aviez	lui
ils, elles	luisent	ils, elles	luisaient	ils, elles	ont	lui	ils, elles	avaient	lui

Passé simple (rare)		Futur simple		Passé antérieur			Futur antérieur		
je	luisis	je	luirai	j'	eus	lui	j'	aurai	lui
tu	luisis	tu	luiras	tu	eus	lui	tu	auras	lui
il, elle	luisit	il, elle	luira	il, elle	eut	lui	il, elle	aura	lui
nous	luisîmes	nous	luirons	nous	eûmes	lui	nous	aurons	lui
vous	luisîtes	vous	luirez	vous	eûtes	lui	vous	aurez	lui
ils, elles	luisirent	ils, elles	luiront	ils, elles	eurent	lui	ils, elles	auront	lui

SUBJONCTIF

Présent		Imparfait (rare)		Passé			Plus-que-parfait		
Il faut que...		*Il fallait que...*		*Il faut que...*			*Il fallait que...*		
je	luise	je	luisisse	j'	aie	lui	j'	eusse	lui
tu	luises	tu	luisisses	tu	aies	lui	tu	eusses	lui
il, elle	luise	il, elle	luisît	il, elle	ait	lui	il, elle	eût	lui
nous	luisions	nous	luisissions	nous	ayons	lui	nous	eussions	lui
vous	luisiez	vous	luisissiez	vous	ayez	lui	vous	eussiez	lui
ils, elles	luisent	ils, elles	luisissent	ils, elles	aient	lui	ils, elles	eussent	lui

CONDITIONNEL

Présent		Passé 1ʳᵉ forme			Passé 2ᵉ forme		
je	luirais	j'	aurais	lui	j'	eusse	lui
tu	luirais	tu	aurais	lui	tu	eusses	lui
il, elle	luirait	il, elle	aurait	lui	il, elle	eût	lui
nous	luirions	nous	aurions	lui	nous	eussions	lui
vous	luiriez	vous	auriez	lui	vous	eussiez	lui
ils, elles	luiraient	ils, elles	auraient	lui	ils, elles	eussent	lui

IMPÉRATIF

Présent	Passé
luis	aie lui
luisons	ayons lui
luisez	ayez lui

INFINITIF

Présent	Passé
luire	avoir lui

PARTICIPE

Présent	Passé
luisant	lui
	ayant lui

maudire

Présent		Imparfait		Passé composé			Plus-que-parfait		
je	maudis	je	maudissais	j'	ai	maudit	j'	avais	maudit
tu	maudis	tu	maudissais	tu	as	maudit	tu	avais	maudit
il, elle	maudit	il, elle	maudissait	il, elle	a	maudit	il, elle	avait	maudit
nous	maudissons	nous	maudissions	nous	avons	maudit	nous	avions	maudit
vous	maudissez	vous	maudissiez	vous	avez	maudit	vous	aviez	maudit
ils, elles	maudissent	ils, elles	maudissaient	ils, elles	ont	maudit	ils, elles	avaient	maudit

Passé simple		Futur simple		Passé antérieur			Futur antérieur		
je	maudis	je	maudirai	j'	eus	maudit	j'	aurai	maudit
tu	maudis	tu	maudiras	tu	eus	maudit	tu	auras	maudit
il, elle	maudit	il, elle	maudira	il, elle	eut	maudit	il, elle	aura	maudit
nous	maudîmes	nous	maudirons	nous	eûmes	maudit	nous	aurons	maudit
vous	maudîtes	vous	maudirez	vous	eûtes	maudit	vous	aurez	maudit
ils, elles	maudirent	ils, elles	maudiront	ils, elles	eurent	maudit	ils, elles	auront	maudit

Présent		Imparfait		Passé			Plus-que-parfait		
Il faut *que...*		Il fallait *que...*		Il faut *que...*			Il fallait *que...*		
je	maudisse	je	maudisse	j'	aie	maudit	j'	eusse	maudit
tu	maudisses	tu	maudisses	tu	aies	maudit	tu	eusses	maudit
il, elle	maudisse	il, elle	maudît	il, elle	ait	maudit	il, elle	eût	maudit
nous	maudissions	nous	maudissions	nous	ayons	maudit	nous	eusslons	maudit
vous	maudissiez	vous	maudissiez	vous	ayez	maudit	vous	eussiez	maudit
ils, elles	maudissent	ils, elles	maudissent	ils, elles	aient	maudit	ils, elles	eussent	maudit

Présent		Passé 1re forme			Passé 2e forme		
je	maudirais	j'	aurais	maudit	j'	eusse	maudit
tu	maudirais	tu	aurais	maudit	tu	eusses	maudit
il, elle	maudirait	il, elle	aurait	maudit	il, elle	eût	maudit
nous	maudirions	nous	aurions	maudit	nous	eussions	maudit
vous	maudiriez	vous	auriez	maudit	vous	eussiez	maudit
ils, elles	maudiraient	ils, elles	auraient	maudit	ils, elles	eussent	maudit

Présent	Passé	Présent	Passé	Présent	Passé
maudis	aie maudit	maudire	avoir maudit	maudissant	maudit(e)
maudissons	ayons maudit				ayant maudit
maudissez	ayez maudit				

3e groupe

▶ Se conjuguent sur le modèle de *mordre* : dé*mordre*, dé*tordre*, dis*tordre*, re*mordre*, re*tordre*, *tordre*.

mordre

INDICATIF

Présent		Imparfait		Passé composé			Plus-que-parfait		
je	mords	je	mordais	j'	ai	mordu	j'	avais	mordu
tu	mords	tu	mordais	tu	as	mordu	tu	avais	mordu
il, elle	mord	il, elle	mordait	il, elle	a	mordu	il, elle	avait	mordu
nous	mordons	nous	mordions	nous	avons	mordu	nous	avions	mordu
vous	mordez	vous	mordiez	vous	avez	mordu	vous	aviez	mordu
ils, elles	mordent	ils, elles	mordaient	ils, elles	ont	mordu	ils, elles	avaient	mordu

Passé simple		Futur simple		Passé antérieur			Futur antérieur		
je	mordis	je	mordrai	j'	eus	mordu	j'	aurai	mordu
tu	mordis	tu	mordras	tu	eus	mordu	tu	auras	mordu
il, elle	mordit	il, elle	mordra	il, elle	eut	mordu	il, elle	aura	mordu
nous	mordîmes	nous	mordrons	nous	eûmes	mordu	nous	aurons	mordu
vous	mordîtes	vous	mordrez	vous	eûtes	mordu	vous	aurez	mordu
ils, elles	mordirent	ils, elles	mordront	ils, elles	eurent	mordu	ils, elles	auront	mordu

SUBJONCTIF

Présent		Imparfait		Passé			Plus-que-parfait		
Il faut que...		*Il fallait que...*		*Il faut que...*			*Il fallait que...*		
je	morde	je	mordisse	j'	aie	mordu	j'	eusse	mordu
tu	mordes	tu	mordisses	tu	aies	mordu	tu	eusses	mordu
il, elle	morde	il, elle	mordît	il, elle	ait	mordu	il, elle	eût	mordu
nous	mordions	nous	mordissions	nous	ayons	mordu	nous	eussions	mordu
vous	mordiez	vous	mordissiez	vous	ayez	mordu	vous	eussiez	mordu
ils, elles	mordent	ils, elles	mordissent	ils, elles	aient	mordu	ils, elles	eussent	mordu

CONDITIONNEL

Présent		Passé 1re forme			Passé 2e forme		
je	mordrais	j'	aurais	mordu	j'	eusse	mordu
tu	mordrais	tu	aurais	mordu	tu	eusses	mordu
il, elle	mordrait	il, elle	aurait	mordu	il, elle	eût	mordu
nous	mordrions	nous	aurions	mordu	nous	eussions	mordu
vous	mordriez	vous	auriez	mordu	vous	eussiez	mordu
ils, elles	mordraient	ils, elles	auraient	mordu	ils, elles	eussent	mordu

IMPÉRATIF

Présent	Passé
mords	aie mordu
mordons	ayons mordu
mordez	ayez mordu

INFINITIF

Présent	Passé
mordre	avoir mordu

PARTICIPE

Présent	Passé
mordant	mordu(e)
	ayant mordu

3e groupe

▶ Se conjuguent sur le modèle de *moudre* : é**moudre**, re**moudre**.

moudre

INDICATIF

Présent		Imparfait		Passé composé			Plus-que-parfait		
je	mouds	je	moulais	j'	ai	moulu	j'	avais	moulu
tu	mouds	tu	moulais	tu	as	moulu	tu	avais	moulu
il, elle	moud	il, elle	moulait	il, elle	a	moulu	il, elle	avait	moulu
nous	moulons	nous	moulions	nous	avons	moulu	nous	avions	moulu
vous	moulez	vous	mouliez	vous	avez	moulu	vous	aviez	moulu
ils, elles	moulent	ils, elles	moulaient	ils, elles	ont	moulu	ils, elles	avaient	moulu

Passé simple		Futur simple		Passé antérieur			Futur antérieur		
je	moulus	je	moudrai	j'	eus	moulu	j'	aurai	moulu
tu	moulus	tu	moudras	tu	eus	moulu	tu	auras	moulu
il, elle	moulut	il, elle	moudra	il, elle	eut	moulu	il, elle	aura	moulu
nous	moulûmes	nous	moudrons	nous	eûmes	moulu	nous	aurons	moulu
vous	moulûtes	vous	moudrez	vous	eûtes	moulu	vous	aurez	moulu
ils, elles	moulurent	ils, elles	moudront	ils, elles	eurent	moulu	ils, elles	auront	moulu

SUBJONCTIF

Présent		Imparfait		Passé			Plus-que-parfait		
Il faut que...		*Il fallait que...*		*Il faut que...*			*Il fallait que...*		
je	moule	je	moulusse	j'	aie	moulu	j'	eusse	moulu
tu	moules	tu	moulusses	tu	aies	moulu	tu	eusses	moulu
il, elle	moule	il, elle	moulût	il, elle	ait	moulu	il, elle	eût	moulu
nous	moulions	nous	moulussions	nous	ayons	moulu	nous	eussions	moulu
vous	mouliez	vous	moulussiez	vous	ayez	moulu	vous	eussiez	moulu
ils, elles	moulent	ils, elles	moulussent	ils, elles	aient	moulu	ils, elles	eussent	moulu

CONDITIONNEL

Présent		Passé 1re forme			Passé 2e forme		
je	moudrais	j'	aurais	moulu	j'	eusse	moulu
tu	moudrais	tu	aurais	moulu	tu	eusses	moulu
il, elle	moudrait	il, elle	aurait	moulu	il, elle	eût	moulu
nous	moudrions	nous	aurions	moulu	nous	eussions	moulu
vous	moudriez	vous	auriez	moulu	vous	eussiez	moulu
ils, elles	moudraient	ils, elles	auraient	moulu	ils, elles	eussent	moulu

IMPÉRATIF

Présent	Passé
mouds	aie moulu
moulons	ayons moulu
moulez	ayez moulu

INFINITIF

Présent	Passé
moudre	avoir moulu

PARTICIPE

Présent	Passé
moulant	moulu(e)
	ayant moulu

3e groupe

▶ Se conjuguent sur le modèle de *nuire* : *s'entre-nuire* (pronominal avec l'auxiliaire *être*), *s'entrenuire* (pronominal avec l'auxiliaire *être*).

nuire

INDICATIF

Présent	Imparfait	Passé composé	Plus-que-parfait
je **nuis**	je **nuisais**	j' ai nui	j' avais nui
tu **nuis**	tu **nuisais**	tu as nui	tu avais nui
il, elle **nuit**	il, elle **nuisait**	il, elle a nui	il, elle avait nui
nous **nuisons**	nous **nuisions**	nous avons nui	nous avions nui
vous **nuisez**	vous **nuisiez**	vous avez nui	vous aviez nui
ils, elles **nuisent**	ils, elles **nuisaient**	ils, elles ont nui	ils, elles avaient nui

Passé simple	Futur simple	Passé antérieur	Futur antérieur
je **nuisis**	je **nuirai**	j' eus nui	j' aurai nui
tu **nuisis**	tu **nuiras**	tu eus nui	tu auras nui
il, elle **nuisit**	il, elle **nuira**	il, elle eut nui	il, elle aura nui
nous **nuisîmes**	nous **nuirons**	nous eûmes nui	nous aurons nui
vous **nuisîtes**	vous **nuirez**	vous eûtes nui	vous aurez nui
ils, elles **nuisirent**	ils, elles **nuiront**	ils, elles eurent nui	ils, elles auront nui

SUBJONCTIF

Présent	Imparfait	Passé	Plus-que-parfait
Il faut que...	*Il fallait que...*	*Il faut que...*	*Il fallait que...*
je **nuise**	je **nuisisse**	j' aie nui	j' eusse nui
tu **nuises**	tu **nuisisses**	tu aies nui	tu eusses nui
il, elle **nuise**	il, elle **nuisît**	il, elle ait nui	il, elle eût nui
nous **nuisions**	nous **nuisissions**	nous ayons nui	nous eussions nui
vous **nuisiez**	vous **nuisissiez**	vous ayez nui	vous eussiez nui
ils, elles **nuisent**	ils, elles **nuisissent**	ils, elles aient nui	ils, elles eussent nui

CONDITIONNEL

Présent		Passé 1re forme	Passé 2e forme
je **nuirais**		j' aurais nui	j' eusse nui
tu **nuirais**		tu aurais nui	tu eusses nui
il, elle **nuirait**		il, elle aurait nui	il, elle eût nui
nous **nuirions**		nous aurions nui	nous eussions nui
vous **nuiriez**		vous auriez nui	vous eussiez nui
ils, elles **nuiraient**		ils, elles auraient nui	ils, elles eussent nui

IMPÉRATIF

Présent	Passé
nuis	aie nui
nuisons	ayons nui
nuisez	ayez nui

INFINITIF

Présent	Passé
nuire	avoir nui

PARTICIPE

Présent	Passé
nuisant	**nui**
	ayant nui

offrir

3ᵉ groupe

INDICATIF

Présent	Imparfait	Passé composé	Plus-que-parfait
j' offre	j' offrais	j' ai offert	j' avais offert
tu offres	tu offrais	tu as offert	tu avais offert
il, elle offre	il, elle offrait	il, elle a offert	il, elle avait offert
nous offrons	nous offrions	nous avons offert	nous avions offert
vous offrez	vous offriez	vous avez offert	vous aviez offert
ils, elles offrent	ils, elles offraient	ils, elles ont offert	ils, elles avaient offert

Passé simple	Futur simple	Passé antérieur	Futur antérieur
j' offris	j' offrirai	j' eus offert	j' aurai offert
tu offris	tu offriras	tu eus offert	tu auras offert
il, elle offrit	il, elle offrira	il, elle eut offert	il, elle aura offert
nous offrîmes	nous offrirons	nous eûmes offert	nous aurons offert
vous offrîtes	vous offrirez	vous eûtes offert	vous aurez offert
ils, elles offrirent	ils, elles offriront	ils, elles eurent offert	ils, elles auront offert

SUBJONCTIF

Présent	Imparfait	Passé	Plus-que-parfait
Il faut que...	Il fallait que...	Il faut que...	Il fallait que...
j' offre	j' offrisse	j' aie offert	j' eusse offert
tu offres	tu offrisses	tu aies offert	tu eusses offert
il, elle offre	il, elle offrît	il, elle ait offert	il, elle eût offert
nous offrions	nous offrissions	nous ayons offert	nous eussions offert
vous offriez	vous offrissiez	vous ayez offert	vous eussiez offert
ils, elles offrent	ils, elles offrissent	ils, elles aient offert	ils, elles eussent offert

CONDITIONNEL

Présent	Passé 1ʳᵉ forme	Passé 2ᵉ forme
j' offrirais	j' aurais offert	j' eusse offert
tu offrirais	tu aurais offert	tu eusses offert
il, elle offrirait	il, elle aurait offert	il, elle eût offert
nous offririons	nous aurions offert	nous eussions offert
vous offririez	vous auriez offert	vous eussiez offert
ils, elles offriraient	ils, elles auraient offert	ils, elles eussent offert

IMPÉRATIF

Présent	Passé
offre	aie offert
offrons	ayons offert
offrez	ayez offert

INFINITIF

Présent	Passé
offrir	avoir offert

PARTICIPE

Présent	Passé
offrant	offert(e)
	ayant offert

peux devient obligatoirement puis dans la phrase interrogative : *puis-je rentrer ?*

pouvoir

INDICATIF

Présent		Imparfait		Passé composé			Plus-que-parfait		
je	peux/puis	je	pouvais	j'	ai	pu	j'	avais	pu
tu	peux	tu	pouvais	tu	as	pu	tu	avais	pu
il, elle	peut	il, elle	pouvait	il, elle	a	pu	il, elle	avait	pu
nous	pouvons	nous	pouvions	nous	avons	pu	nous	avions	pu
vous	pouvez	vous	pouviez	vous	avez	pu	vous	aviez	pu
ils, elles	peuvent	ils, elles	pouvaient	ils, elles	ont	pu	ils, elles	avaient	pu

Passé simple		Futur simple		Passé antérieur			Futur antérieur		
je	pus	je	pourrai	j'	eus	pu	j'	aurai	pu
tu	pus	tu	pourras	tu	eus	pu	tu	auras	pu
il, elle	put	il, elle	pourra	il, elle	eut	pu	il, elle	aura	pu
nous	pûmes	nous	pourrons	nous	eûmes	pu	nous	aurons	pu
vous	pûtes	vous	pourrez	vous	eûtes	pu	vous	aurez	pu
ils, elles	purent	ils, elles	pourront	ils, elles	eurent	pu	ils, elles	auront	pu

SUBJONCTIF

Présent		Imparfait		Passé			Plus-que-parfait		
Il faut que...		*Il fallait que...*		*Il faut que...*			*Il fallait que...*		
je	puisse	je	pusse	j'	aie	pu	j'	eusse	pu
tu	puisses	tu	pusses	tu	aies	pu	tu	eusses	pu
il, elle	puisse	il, elle	pût	il, elle	ait	pu	il, elle	eût	pu
nous	puissions	nous	pussions	nous	ayons	pu	nous	eussions	pu
vous	puissiez	vous	pussiez	vous	ayez	pu	vous	eussiez	pu
ils, elles	puissent	ils, elles	pussent	ils, elles	aient	pu	ils, elles	eussent	pu

CONDITIONNEL

Présent		Passé 1ʳᵉ forme			Passé 2ᵉ forme		
je	pourrais	j'	aurais	pu	j'	eusse	pu
tu	pourrais	tu	aurais	pu	tu	eusses	pu
il, elle	pourrait	il, elle	aurait	pu	il, elle	eût	pu
nous	pourrions	nous	aurions	pu	nous	eussions	pu
vous	pourriez	vous	auriez	pu	vous	eussiez	pu
ils, elles	pourraient	ils, elles	auraient	pu	ils, elles	eussent	pu

IMPÉRATIF

Présent	Passé
(inusité)	*(inusité)*

INFINITIF

Présent	Passé
pouvoir	avoir pu

PARTICIPE

Présent	Passé
pouvant	pu
	ayant pu

▶ Se conjuguent sur le modèle de *prendre* : *apprendre, comprendre, déprendre, désapprendre, entreprendre, s'éprendre* (pronominal avec l'auxiliaire *être*), *se méprendre* (pronominal avec l'auxiliaire *être*), *rapprendre, réapprendre, reprendre, surprendre*.

prendre

INDICATIF

Présent		Imparfait		Passé composé			Plus-que-parfait		
je	prends	je	prenais	j'	ai	pris	j'	avais	pris
tu	prends	tu	prenais	tu	as	pris	tu	avais	pris
il, elle	prend	il, elle	prenait	il, elle	a	pris	il, elle	avait	pris
nous	prenons	nous	prenions	nous	avons	pris	nous	avions	pris
vous	prenez	vous	preniez	vous	avez	pris	vous	aviez	pris
ils, elles	prennent	ils, elles	prenaient	ils, elles	ont	pris	ils, elles	avaient	pris

Passé simple		Futur simple		Passé antérieur			Futur antérieur		
je	pris	je	prendrai	j'	eus	pris	j'	aurai	pris
tu	pris	tu	prendras	tu	eus	pris	tu	auras	pris
il, elle	prit	il, elle	prendra	il, elle	eut	pris	il, elle	aura	pris
nous	prîmes	nous	prendrons	nous	eûmes	pris	nous	aurons	pris
vous	prîtes	vous	prendrez	vous	eûtes	pris	vous	aurez	pris
ils, elles	prirent	ils, elles	prendront	ils, elles	eurent	pris	ils, elles	auront	pris

SUBJONCTIF

Présent		Imparfait		Passé			Plus-que-parfait		
Il faut *que*...		Il fallait *que*...		Il faut *que*...			Il fallait *que*...		
je	prenne	je	prisse	j'	aie	pris	j'	eusse	pris
tu	prennes	tu	prisses	tu	aies	pris	tu	eusses	pris
il, elle	prenne	il, elle	prît	il, elle	ait	pris	il, elle	eût	pris
nous	prenions	nous	prissions	nous	ayons	pris	nous	eussions	pris
vous	preniez	vous	prissiez	vous	ayez	pris	vous	eussiez	pris
ils, elles	prennent	ils, elles	prissent	ils, elles	aient	pris	ils, elles	eussent	pris

CONDITIONNEL

Présent		Passé 1re forme			Passé 2e forme		
je	prendrais	j'	aurais	pris	j'	eusse	pris
tu	prendrais	tu	aurais	pris	tu	eusses	pris
il, elle	prendrait	il, elle	aurait	pris	il, elle	eût	pris
nous	prendrions	nous	aurions	pris	nous	eussions	pris
vous	prendriez	vous	auriez	pris	vous	eussiez	pris
ils, elles	prendraient	ils, elles	auraient	pris	ils, elles	eussent	pris

IMPÉRATIF

Présent	Passé
prends	aie pris
prenons	ayons pris
prenez	ayez pris

INFINITIF

Présent	Passé
prendre	avoir pris

PARTICIPE

Présent	Passé
prenant	pris(e)
	ayant pris

3e groupe

c devient **ç** devant **o** et **u** pour garder le son [s] :
- aux trois personnes du singulier et à la 3ᵉ personne du pluriel du présent de l'indicatif et du présent du subjonctif ;
- à toutes les personnes du passé simple de l'indicatif et de l'imparfait du subjonctif ;
- à la 2ᵉ personne du singulier de l'impératif ;
- au participe passé.

▶ Se conjuguent sur le modèle de *recevoir* : aper**cevoir**, con**cevoir**, dé**cevoir**, entraper**cevoir**, per**cevoir**.

recevoir

INDICATIF

Présent		Imparfait		Passé composé			Plus-que-parfait		
je	reçois	je	recevais	j'	ai	reçu	j'	avais	reçu
tu	reçois	tu	recevais	tu	as	reçu	tu	avais	reçu
il, elle	reçoit	il, elle	recevait	il, elle	a	reçu	il, elle	avait	reçu
nous	recevons	nous	recevions	nous	avons	reçu	nous	avions	reçu
vous	recevez	vous	receviez	vous	avez	reçu	vous	aviez	reçu
ils, elles	reçoivent	ils, elles	recevaient	ils, elles	ont	reçu	ils, elles	avaient	reçu

Passé simple		Futur simple		Passé antérieur			Futur antérieur		
je	reçus	je	recevrai	j'	eus	reçu	j'	aurai	reçu
tu	reçus	tu	recevras	tu	eus	reçu	tu	auras	reçu
il, elle	reçut	il, elle	recevra	il, elle	eut	reçu	il, elle	aura	reçu
nous	reçûmes	nous	recevrons	nous	eûmes	reçu	nous	aurons	reçu
vous	reçûtes	vous	recevrez	vous	eûtes	reçu	vous	aurez	reçu
ils, elles	reçurent	ils, elles	recevront	ils, elles	eurent	reçu	ils, elles	auront	reçu

SUBJONCTIF

Présent		Imparfait		Passé			Plus-que-parfait		
Il faut que...		*Il fallait que...*		*Il faut que...*			*Il fallait que...*		
je	reçoive	je	reçusse	j'	aie	reçu	j'	eusse	reçu
tu	reçoives	tu	reçusses	tu	aies	reçu	tu	eusses	reçu
il, elle	reçoive	il, elle	reçût	il, elle	ait	reçu	il, elle	eût	reçu
nous	recevions	nous	reçussions	nous	ayons	reçu	nous	eussions reçu
vous	receviez	vous	reçussiez	vous	ayez	reçu	vous	eussiez	reçu
ils, elles	reçoivent	ils, elles	reçussent	ils, elles	aient	reçu	ils, elles	eussent	reçu

CONDITIONNEL

Présent		Passé 1ʳᵉ forme			Passé 2ᵉ forme		
je	recevrais	j'	aurais	reçu	j'	eusse	reçu
tu	recevrais	tu	aurais	reçu	tu	eusses	reçu
il, elle	recevrait	il, elle	aurait	reçu	il, elle	eût	reçu
nous	recevrions	nous	aurions	reçu	nous	eussions	reçu
vous	recevriez	vous	auriez	reçu	vous	eussiez	reçu
ils, elles	recevraient	ils, elles	auraient	reçu	ils, elles	eussent	reçu

IMPÉRATIF

Présent	Passé
reçois	aie reçu
recevons	ayons reçu
recevez	ayez reçu

INFINITIF

Présent	Passé
recevoir	avoir reçu

PARTICIPE

Présent	Passé
recevant	reçu(e)
	ayant reçu

▶ Se conjugue sur le modèle de *répandre* : *épandre*.

répandre

INDICATIF

Présent		Imparfait		Passé composé			Plus-que-parfait		
je	répands	je	répandais	j'	ai	répandu	j'	avais	répandu
tu	répands	tu	répandais	tu	as	répandu	tu	avais	répandu
il, elle	répand	il, elle	répandait	il, elle	a	répandu	il, elle	avait	répandu
nous	répandons	nous	répandions	nous	avons	répandu	nous	avions	répandu
vous	répandez	vous	répandiez	vous	avez	répandu	vous	aviez	répandu
ils, elles	répandent	ils, elles	répandaient	ils, elles	ont	répandu	ils, elles	avaient	répandu

Passé simple		Futur simple		Passé antérieur			Futur antérieur		
je	répandis	je	répandrai	j'	eus	répandu	j'	aurai	répandu
tu	répandis	tu	répandras	tu	eus	répandu	tu	auras	répandu
il, elle	répandit	il, elle	répandra	il, elle	eut	répandu	il, elle	aura	répandu
nous	répandîmes	nous	répandrons	nous	eûmes	répandu	nous	aurons	répandu
vous	répandîtes	vous	répandrez	vous	eûtes	répandu	vous	aurez	répandu
ils, elles	répandirent	ils, elles	répandront	ils, elles	eurent	répandu	ils, elles	auront	répandu

SUBJONCTIF

Présent		Imparfait		Passé			Plus-que-parfait		
Il faut que...		*Il fallait que...*		*Il faut que...*			*Il fallait que...*		
je	répande	je	répandisse	j'	aie	répandu	j'	eusse	répandu
tu	répandes	tu	répandisses	tu	aies	répandu	tu	eusses	répandu
il, elle	répande	il, elle	répandît	il, elle	ait	répandu	il, elle	eût	répandu
nous	répandions	nous	répandissions	nous	ayons	répandu	nous	eussions	répandu
vous	répandiez	vous	répandissiez	vous	ayez	répandu	vous	eussiez	répandu
ils, elles	répandent	ils, elles	répandissent	ils, elles	aient	répandu	ils, elles	eussent	répandu

CONDITIONNEL

Présent		Passé 1ʳᵉ forme			Passé 2ᵉ forme		
je	répandrais	j'	aurais	répandu	j'	eusse	répandu
tu	répandrais	tu	aurais	répandu	tu	eusses	répandu
il, elle	répandrait	il, elle	aurait	répandu	il, elle	eût	répandu
nous	répandrions	nous	aurions	répandu	nous	eussions	répandu
vous	répandriez	vous	auriez	répandu	vous	eussiez	répandu
ils, elles	répandraient	ils, elles	auraient	répandu	ils, elles	eussent	répandu

IMPÉRATIF

Présent	Passé
répands	aie répandu
répandons	ayons répandu
répandez	ayez répandu

INFINITIF

Présent	Passé
répandre	avoir répandu

PARTICIPE

Présent	Passé
répandant	répandu(e)
	ayant répandu

3ᵉ groupe

▶ Il existe une autre forme de participe passé, *résous, résoute*, qui sert à désigner « des choses changées en d'autres » : *brouillard résous en pluie.*

résoudre

INDICATIF

Présent		Imparfait		Passé composé			Plus-que-parfait		
je	résous	je	résolvais	j'	ai	résolu	j'	avais	résolu
tu	résous	tu	résolvais	tu	as	résolu	tu	avais	résolu
il, elle	résout	il, elle	résolvait	il, elle	a	résolu	il, elle	avait	résolu
nous	résolvons	nous	résolvions	nous	avons	résolu	nous	avions	résolu
vous	résolvez	vous	résolviez	vous	avez	résolu	vous	aviez	résolu
ils, elles	résolvent	ils, elles	résolvaient	ils, elles	ont	résolu	ils, elles	avaient	résolu

Passé simple		Futur simple		Passé antérieur			Futur antérieur		
je	résolus	je	résoudrai	j'	eus	résolu	j'	aurai	résolu
tu	résolus	tu	résoudras	tu	eus	résolu	tu	auras	résolu
il, elle	résolut	il, elle	résoudra	il, elle	eut	résolu	il, elle	aura	résolu
nous	résolûmes	nous	résoudrons	nous	eûmes	résolu	nous	aurons	résolu
vous	résolûtes	vous	résoudrez	vous	eûtes	résolu	vous	aurez	résolu
ils, elles	résolurent	ils, elles	résoudront	ils, elles	eurent	résolu	ils, elles	auront	résolu

SUBJONCTIF

Présent		Imparfait		Passé			Plus-que-parfait		
Il faut **que**...		Il fallait **que**...		Il faut **que**...			Il fallait **que**...		
je	résolve	je	résolusse	j'	aie	résolu	j'	eusse	résolu
tu	résolves	tu	résolusses	tu	aies	résolu	tu	eusses	résolu
il, elle	résolve	il, elle	résolût	il, elle	ait	résolu	il, elle	eût	résolu
nous	résolvions	nous	résolussions	nous	ayons	résolu	nous	eussions	résolu
vous	résolviez	vous	résolussiez	vous	ayez	résolu	vous	eussiez	résolu
ils, elles	résolvent	ils, elles	résolussent	ils, elles	aient	résolu	ils, elles	eussent	résolu

CONDITIONNEL

Présent		Passé 1re forme			Passé 2e forme		
je	résoudrais	j'	aurais	résolu	j'	eusse	résolu
tu	résoudrais	tu	aurais	résolu	tu	eusses	résolu
il, elle	résoudrait	il, elle	aurait	résolu	il, elle	eût	résolu
nous	résoudrions	nous	aurions	résolu	nous	eussions	résolu
vous	résoudriez	vous	auriez	résolu	vous	eussiez	résolu
ils, elles	résoudraient	ils, elles	auraient	résolu	ils, elles	eussent	résolu

IMPÉRATIF

Présent	Passé
résous	aie résolu
résolvons	ayons résolu
résolvez	ayez résolu

INFINITIF

Présent	Passé
résoudre	avoir résolu

PARTICIPE

Présent	Passé
résolvant	résolu(e)
	ayant résolu

i devient ii aux 1res et 2es personnes du pluriel de l'imparfait de l'indicatif et du présent du subjonctif.
► Se conjugue sur le modèle de rire : *sourire*.

rire

INDICATIF

Présent
je **ris**
tu **ris**
il, elle **rit**
nous **rions**
vous **riez**
ils, elles **rient**

Imparfait
je **riais**
tu **riais**
il, elle **riait**
nous **riions**
vous **riiez**
ils, elles **riaient**

Passé composé
j' ai **ri**
tu as **ri**
il, elle a **ri**
nous avons **ri**
vous avez **ri**
ils, elles ont **ri**

Plus-que-parfait
j' avais **ri**
tu avais **ri**
il, elle avait **ri**
nous avions **ri**
vous aviez **ri**
ils, elles avaient **ri**

Passé simple
je **ris**
tu **ris**
il, elle **rit**
nous **rîmes**
vous **rîtes**
ils, elles **rirent**

Futur simple
je **rirai**
tu **riras**
il, elle **rira**
nous **rirons**
vous **rirez**
ils, elles **riront**

Passé antérieur
j' eus **ri**
tu eus **ri**
il, elle eut **ri**
nous eûmes **ri**
vous eûtes **ri**
ils, elles eurent ri

Futur antérieur
j' aurai **ri**
tu auras **ri**
il, elle aura **ri**
nous aurons **ri**
vous aurez **ri**
ils, elles auront **ri**

SUBJONCTIF

Présent
Il faut **que**...
je **rie**
tu **ries**
il, elle **rie**
nous **riions**
vous **riiez**
ils, elles **rient**

Imparfait
Il fallait **que**...
je **risse**
tu **risses**
il, elle **rît**
nous **rissions**
vous **rissiez**
ils, elles **rissent**

Passé
Il faut **que**...
j' aie **ri**
tu aies **ri**
il, elle ait **ri**
nous ayons **ri**
vous ayez **ri**
ils, elles aient **ri**

Plus-que-parfait
Il fallait **que**...
j' eusse **ri**
tu eusses **ri**
il, elle eût **ri**
nous eussions **ri**
vous eussiez **ri**
ils, elles eussent **ri**

CONDITIONNEL

Présent
je **rirais**
tu **rirais**
il, elle **rirait**
nous **ririons**
vous **ririez**
ils, elles **riraient**

Passé 1re forme
j' aurais **ri**
tu aurais **ri**
il, elle aurait **ri**
nous aurions **ri**
vous auriez **ri**
ils, elles auraient **ri**

Passé 2e forme
j' eusse **ri**
tu eusses **ri**
il, elle eût **ri**
nous eussions **ri**
vous eussiez **ri**
ils, elles eussent **ri**

IMPÉRATIF

Présent
ris
rions
riez

Passé
aie **ri**
ayons **ri**
ayez **ri**

INFINITIF

Présent
rire

Passé
avoir **ri**

PARTICIPE

Présent
riant

Passé
ri
ayant **ri**

▶ Se conjuguent sur le modèle de *rompre* : *corrompre, interrompre.*

rompre

INDICATIF

Présent		Imparfait		Passé composé			Plus-que-parfait		
je	romps	je	rompais	j'	ai	rompu	j'	avais	rompu
tu	romps	tu	rompais	tu	as	rompu	tu	avais	rompu
il, elle	rompt	il, elle	rompait	il, elle	a	rompu	il, elle	avait	rompu
nous	rompons	nous	rompions	nous	avons	rompu	nous	avions	rompu
vous	rompez	vous	rompiez	vous	avez	rompu	vous	aviez	rompu
ils, elles	rompent	ils, elles	rompaient	ils, elles	ont	rompu	ils, elles	avaient	rompu

Passé simple		Futur simple		Passé antérieur			Futur antérieur		
je	rompis	je	romprai	j'	eus	rompu	j'	aurai	rompu
tu	rompis	tu	rompras	tu	eus	rompu	tu	auras	rompu
il, elle	rompit	il, elle	rompra	il, elle	eut	rompu	il, elle	aura	rompu
nous	rompîmes	nous	romprons	nous	eûmes	rompu	nous	aurons	rompu
vous	rompîtes	vous	romprez	vous	eûtes	rompu	vous	aurez	rompu
ils, elles	rompirent	ils, elles	rompront	ils, elles	eurent	rompu	ils, elles	auront	rompu

SUBJONCTIF

Présent		Imparfait		Passé			Plus-que-parfait		
Il faut que...		*Il fallait que...*		*Il faut que...*			*Il fallait que...*		
je	rompe	je	rompisse	j'	aie	rompu	j'	eusse	rompu
tu	rompes	tu	rompisses	tu	aies	rompu	tu	eusses	rompu
il, elle	rompe	il, elle	rompît	il, elle	ait	rompu	il, elle	eût	rompu
nous	rompions	nous	rompissions	nous	ayons	rompu	nous	eussions	rompu
vous	rompiez	vous	rompissiez	vous	ayez	rompu	vous	eussiez	rompu
ils, elles	rompent	ils, elles	rompissent	ils, elles	aient	rompu	ils, elles	eussent	rompu

CONDITIONNEL

Présent		Passé 1re forme			Passé 2e forme		
je	romprais	j'	aurais	rompu	j'	eusse	rompu
tu	romprais	tu	aurais	rompu	tu	eusses	rompu
il, elle	romprait	il, elle	aurait	rompu	il, elle	eût	rompu
nous	romprions	nous	aurions	rompu	nous	eussions	rompu
vous	rompriez	vous	auriez	rompu	vous	eussiez	rompu
ils, elles	rompraient	ils, elles	auraient	rompu	ils, elles	eussent	rompu

IMPÉRATIF

Présent	Passé
romps	aie rompu
rompons	ayons rompu
rompez	ayez rompu

INFINITIF

Présent	Passé
rompre	avoir rompu

PARTICIPE

Présent	Passé
rompant	rompu(e)
	ayant rompu

savoir

INDICATIF

Présent		Imparfait		Passé composé			Plus-que-parfait		
je	sais	je	savais	j'	ai	su	j'	avais	su
tu	sais	tu	savais	tu	as	su	tu	avais	su
il, elle	sait	il, elle	savait	il, elle	a	su	il, elle	avait	su
nous	savons	nous	savions	nous	avons	su	nous	avions	su
vous	savez	vous	saviez	vous	avez	su	vous	aviez	su
ils, elles	savent	ils, elles	savaient	ils, elles	ont	su	ils, elles	avaient	su

Passé simple		Futur simple		Passé antérieur			Futur antérieur		
je	sus	je	saurai	j'	eus	su	j'	aurai	su
tu	sus	tu	sauras	tu	eus	su	tu	auras	su
il, elle	sut	il, elle	saura	il, elle	eut	su	il, elle	aura	su
nous	sûmes	nous	saurons	nous	eûmes	su	nous	aurons	su
vous	sûtes	vous	saurez	vous	eûtes	su	vous	aurez	su
ils, elles	surent	ils, elles	sauront	ils, elles	eurent	su	ils, elles	auront	su

SUBJONCTIF

Présent		Imparfait		Passé			Plus-que-parfait		
Il faut que…		*Il fallait que…*		*Il faut que…*			*Il fallait que…*		
je	sache	je	susse	j'	aie	su	j'	eusse	su
tu	saches	tu	susses	tu	aies	su	tu	eusses	su
il, elle	sache	il, elle	sût	il, elle	ait	su	il, elle	eût	su
nous	sachions	nous	sussions	nous	ayons	su	nous	eussions	su
vous	sachiez	vous	sussiez	vous	ayez	su	vous	eussiez	su
ils, elles	sachent	ils, elles	sussent	ils, elles	aient	su	ils, elles	eussent	su

CONDITIONNEL

Présent		Passé 1ʳᵉ forme			Passé 2ᵉ forme		
je	saurais	j'	aurais	su	j'	eusse	su
tu	saurais	tu	aurais	su	tu	eusses	su
il, elle	saurait	il, elle	aurait	su	il, elle	eût	su
nous	saurions	nous	aurions	su	nous	eussions	su
vous	sauriez	vous	auriez	su	vous	eussiez	su
ils, elles	sauraient	ils, elles	auraient	su	ils, elles	eussent	su

IMPÉRATIF

Présent	Passé
sache	aie su
sachons	ayons su
sachez	ayez su

INFINITIF

Présent	Passé
savoir	avoir su

PARTICIPE

Présent	Passé
sachant	su(e)
	ayant su

Passé simple	Futur simple	Passé antérieur	Futur antérieur
il, elle saillit	il, elle saillira	il, elle eut sailli	il, elle aura sailli
ils, elles saillirent	ils, elles sailliront	ils, elles eurent sailli	ils, elles auront sailli

SUBJONCTIF

Présent	Imparfait	Passé	Plus-que-parfait
Il faut qu'...	*Il fallait qu'...*	*Il faut qu'...*	*Il fallait qu'...*
il, elle saillisse	il, elle saillît	il, elle ait sailli	il, elle eût sailli
ils, elles saillissent	ils, elles saillissent	ils, elles aient sailli	ils, elles eussent sailli

CONDITIONNEL

Présent		Passé 1re forme	Passé 2e forme
il, elle saillirait		il, elle aurait sailli	il, elle eût sailli
ils, elles sailliraient		ils, elles auraient sailli	ils, elles eussent sailli

INFINITIF | | **PARTICIPE** |

Présent	Passé	Présent	Passé
saillir	avoir sailli	saillissant	sailli

■ **seoir** - Au sens de « convenir » :

INDICATIF

Présent	Imparfait	Futur simple
il, elle sied	il, elle seyait	il, elle siéra
ils, elles siéent	ils, elles seyaient	ils, elles siéront

SUBJONCTIF | **CONDITIONNEL** | **PARTICIPE**

Présent	Présent	Présent
Il faut qu'...		séant (seyant)
il, elle siée	il, elle siérait	
ils, elles siéent	ils, elles siéraient	

■ **seoir** - Au sens de « être situé », *seoir* ne s'emploie qu'au participe présent, *séant,* et au participe passé, *sis(e)*.

■ **sortir** - En termes de jurisprudence, ne s'emploie qu'à la 3e personne : *il sortit*, *ils sortissent*.

■ **sourdre** - Au sens de « sortir de terre », ne s'emploie qu'à l'infinitif et aux 3es personnes du présent et de l'imparfait de l'indicatif : *il sourd, ils sourdent* ; *il sourdait, ils sourdaient*.

■ **stupéfaire** - Ne s'emploie qu'au participe passé, *stupéfait(e)*, à la 3e personne du singulier du présent de l'indicatif et aux temps composés : *il me stupéfait* ; *cette nouvelle l'avait stupéfait*.
Le verbe *stupéfier* se conjugue à toutes les personnes, à tous les temps et à tous les modes sur le modèle de *prier*.

On appelle **verbes impersonnels** les verbes qui ne se conjuguent qu'à la 3ᵉ personne du singulier.

▮ falloir

INDICATIF

Présent	Imparfait	Passé composé	Plus-que-parfait
il faut	il fallait	il a fallu	il avait fallu

Passé simple	Futur simple	Passé antérieur	Futur antérieur
il fallut	il faudra	il eut fallu	il aura fallu

SUBJONCTIF

Présent	Imparfait	Passé	Plus-que-parfait
Je ne crois pas qu'...	Je ne croyais pas qu'...	Je ne crois pas qu'...	Je ne croyais pas qu'...
il faille	il fallût	il ait fallu	il eût fallu

CONDITIONNEL

Présent		Passé 1ʳᵉ forme	Passé 2ᵉ forme
il faudrait		il aurait fallu	il eût fallu

INFINITIF	**PARTICIPE**
Présent	Passé
falloir	fallu

▮ pleuvoir

INDICATIF

Présent	Imparfait	Passé composé	Plus-que-parfait
il pleut	il pleuvait	il a plu	il avait plu

Passé simple	Futur simple	Passé antérieur	Futur antérieur
il plut	il pleuvra	il eut plu	il aura plu

SUBJONCTIF

Présent	Imparfait	Passé	Plus-que-parfait
Il faut qu'...	Il fallait qu'...	Il faut qu'...	Il fallait qu'...
il pleuve	il plût	il ait plu	il eût plu

CONDITIONNEL

Présent	Passé 1ʳᵉ forme	Passé 2ᵉ forme
il pleuvrait	il aurait plu	il eût plu

INFINITIF		**PARTICIPE**	
Présent	Passé	Présent	Passé
pleuvoir	avoir plu	pleuvant	plu

Défectifs

Dictionnaire des verbes

Mode d'emploi

parler	→	verbe modèle.
1er	→	verbe du 1er groupe.
2e	→	verbe du 2e groupe.
3e	→	verbe du 3e groupe.
déf	→	verbe défectif.
imp	→	verbe ou emploi impersonnel.
pr	→	verbe toujours pronominal.
'h	→	indique un *h* aspiré.
tr	→	verbe ou emploi transitif, direct ou indirect.
tr (à, de, sur)	→	verbe transitif indirect suivi uniquement de *à*, *de* ou *sur*.
intr	→	verbe ou emploi intransitif.
Ê	→	verbe conjugué avec *être*.
Ê, A	→	verbe conjugué avec *être* ou *avoir*.
tr, A, intr, Ê	→	verbe conjugué avec *avoir* en emploi transitif, avec *être* en emploi intransitif.
93	→	renvoi au numéro du verbe modèle, qui est également le numéro de la page.
53 et **93**	→	renvoi au numéro de la forme pronominale et au numéro du verbe modèle.

A

adsorber **1er** tr............ 81	affurer **1er** tr............... 81	airer **1er** tr.................. 81
aduler **1er** tr............... 81	affûter **1er** tr............... 81	ajointer **1er** tr............. 81
adultérer **1er** tr........... 57	africaniser **1er** tr......... 81	ajourer **1er** tr............. 81
advenir **déf** intr, Ê....... 181	agacer **1er** tr............... 63	ajourner **1er** tr............ 81
adverbialiser **1er** tr....... 81	agencer **1er** tr............. 63	ajouter **1er** tr............. 81
aérer **1er** tr.................. 57	agenouiller **1er** tr........ 79	ajuster **1er** tr............. 81
affabuler **1er** tr, intr..... 81	agglomérer **1er** tr........ 57	alambiquer **1er** tr........ 78
affadir **2e** tr............... 92	agglutiner **1er** tr......... 81	alanguir **2e** tr............ 92
affaiblir **2e** tr............. 92	aggraver **1er** tr............ 81	alarmer **1er** tr............ 81
affairer (s') **1er** pr, Ê..... 90	agioter **1er** intr............ 81	alcaliniser **1er** tr......... 81
affaisser **1er** tr............ 81	agir **2e** tr, intr............ 92	alcaliser **1er** tr.......... 81
affaiter **1er** tr.............. 81	agiter **1er** tr.................. 81	alcooliser **1er** tr......... 81
affaler **1er** tr............... 81	agneler **1er** intr............ 72	alentir **2e** tr............. 92
affamer **1er** tr............. 81	agonir **2e** tr............... 92	alerter **1er** tr............. 81
afféager **1er** tr............. 77	agoniser **1er** intr............ 81	aléser **1er** tr.............. 57
affecter **1er** tr............. 81	agrafer **1er** tr............. 81	aleviner **1er** tr, intr..... 81
affectionner **1er** tr........ 81	agrandir **2e** tr............ 92	aliéner **1er** tr............. 57
affermer **1er** tr............ 81	agréer **1er** tr, intr......... 64	aligner **1er** tr............. 89
affermir **2e** tr............ 92	agréger **1er** tr............. 56	alimenter **1er** tr.......... 81
afficher **1er** tr............. 81	agrémenter **1er** tr........ 81	aliter **1er** tr.............. 81
affiler **1er** tr............... 81	agresser **1er** tr............ 81	allaiter **1er** tr............ 81
affilier **1er** tr............... 83	agricher **1er** tr............ 81	allécher **1er** tr........... 57
affiner **1er** tr............... 81	agriffer **1er** tr............. 81	alléger **1er** tr............. 56
affirmer **1er** tr............. 81	agripper **1er** tr............ 81	allégir **2e** tr............ 92
afflanquer **1er** tr......... 78	aguerrir **2e** tr............ 92	allégoriser **1er** tr......... 81
affleurer **1er** tr, intr...... 81	aguicher **1er** tr............ 81	alléguer **1er** tr........... 65
affliger **1er** tr.............. 77	ahaner **1er** intr............ 81	aller **3e** tr, intr, Ê......... 108
afflouer **1er** tr............. 76	ahanner **1er** intr........... 81	allier **1er** tr............. 80
affluer **1er** intr............. 86	aheurter **1er** tr............ 81	allitérer **1er** tr........... 57
affoler **1er** tr............... 81	ahurir **2e** tr............... 92	allonger **1er** tr, intr...... 77
affouager **1er** tr........... 77	aicher **1er** tr............... 81	allouer **1er** tr............. 76
affouiller **1er** tr............ 79	aider **1er** tr................. 81	allumer **1er** tr............ 81
affourager **1er** tr.......... 77	aigrir **2e** tr, intr........... 92	allusionner **1er** intr....... 81
affourcher **1er** tr......... 81	aiguer **1er** intr............ 68	alluvionner **1er** tr, intr .. 81
affourrager **1er** tr........ 77	aiguiller **1er** tr............. 62	alourdir **2e** tr............. 92
affranchir **2e** tr........... 92	aiguilleter **1er** tr........... 75	alpaguer **1er** tr........... 68
affréter **1er** tr............. 57	aiguillonner **1er** tr........ 81	alper **1er** intr............. 81
affriander **1er** tr........... 81	aiguiser **1er** tr............. 81	alphabétiser **1er** tr........ 81
affrioler **1er** tr............. 81	ailer **1er** tr................. 81	altérer **1er** tr............. 57
affronter **1er** tr............ 81	ailler **1er** tr................ 91	alterner **1er** tr, intr...... 81
affruiter **1er** tr, intr...... 81	aimanter **1er** tr............ 81	aluminer **1er** tr........... 81
affubler **1er** tr............. 81	aimer **1er** tr................. 81	aluner **1er** tr............. 81

---

tr : transitif   *intr* : intransitif   *imp* : impersonnel   *pr* : pronominal   *Ê* : auxiliaire *être*   *A, Ê* : auxiliaire *avoir* ou *être*

tr : transitif *intr* : intransitif *imp* : impersonnel *pr* : pronominal *Ê* : auxiliaire être *A, Ê* : auxiliaire *avoir* ou être

---

tr : transitif   *intr* : intransitif   *imp* : impersonnel   *pr* : pronominal   *Ê* : auxiliaire *être*   *A, Ê* : auxiliaire *avoir* ou *être*

C

tr : transitif   intr : intransitif   imp : impersonnel   pr : pronominal   Ê : auxiliaire être   A, Ê : auxiliaire avoir ou être

C | CASSE-CROÛTER

chopper **1er** intr 81	claper **1er** intr 81	côcher **1er** tr 81
choquer **1er** tr 78	clapir **2e** intr 92	cochonner **1er** tr, intr ... 81
chorégraphier **1er** tr, intr 83	clapoter **1er** intr 81	cocoter **1er** intr 81
chosifier **1er** tr 83	clapper **1er** intr 81	cocotter **1er** intr 81
chouchouter **1er** tr 81	claquemurer **1er** tr 81	cocufier **1er** tr 83
chouraver **1er** tr 81	claquer **1er** tr, intr 78	coder **1er** tr 81
chourer **1er** tr 81	claqueter **1er** intr 75	codifier **1er** tr 83
chouriner **1er** tr 81	clarifier **1er** tr 83	coéditer **1er** tr 81
choyer **1er** tr 69	classer **1er** tr 81	coexister **1er** intr 81
christianiser **1er** tr 81	classifier **1er** tr 83	coffiner **1er** intr 81
chromer **1er** tr 81	claudiquer **1er** intr 78	coffrer **1er** tr 81
chroniquer **1er** tr, intr ... 78	claustrer **1er** tr 81	cogérer **1er** tr 57
chronométrer **1er** tr 57	claveter **1er** tr 75	cogiter **1er** tr, intr 81
chuchoter **1er** tr, intr 81	clavetter **1er** tr 81	cogner **1er** tr, intr 89
chuinter **1er** intr 81	clayonner **1er** tr 81	cohabiter **1er** intr 81
chuter **1er** tr, intr 81	cléricaliser **1er** tr 81	cohérer **1er** tr, intr 57
cibler **1er** tr 81	clicher **1er** tr, intr 81	cohériter **1er** intr 81
cicatriser **1er** tr, intr 81	cligner **1er** tr, intr 89	coiffer **1er** tr 81
cigler **1er** tr 81	clignoter **1er** tr, intr 81	coincer **1er** tr, intr 63
ciller **1er** tr, intr 62	climatiser **1er** tr 81	coïncider **1er** intr 81
cimenter **1er** tr 81	clinquer **1er** intr 78	coïter **1er** intr 81
cinématographier **1er** tr 83	clipper **1er** tr 81	cokéfier **1er** tr 83
cingler **1er** tr, intr 81	cliquer **1er** intr 78	colérer **1er** tr, intr 57
cintrer **1er** tr 81	cliqueter **1er** intr 75	collaborer **1er** tr (à) 81
circoncire **3e** tr 114	clisser **1er** tr 81	collapser **1er** intr 81
circonscrire **3e** tr 131	cliver **1er** tr 81	collationner **1er** tr, intr . 81
circonstancier **1er** tr 83	clochardiser **1er** tr 81	collecter **1er** tr 81
circonvenir **3e** tr 176	clocher **1er** intr 81	collectionner **1er** tr 81
circuler **1er** intr 81	cloisonner **1er** tr 81	collectiviser **1er** tr 81
cirer **1er** tr 81	cloîtrer **1er** tr 81	coller **1er** tr, intr 81
cisailler **1er** tr 91	cloner **1er** tr 81	colleter **1er** tr 75
ciseler **1er** tr 72	clopiner **1er** intr 81	colliger **1er** tr 77
citer **1er** tr 81	cloquer **1er** tr, intr 78	collisionner **1er** tr 81
civiliser **1er** tr 81	clore **déf** tr 183	colloquer **1er** tr, intr 78
clabauder **1er** intr 81	clôturer **1er** tr, intr 81	colmater **1er** tr 81
claboter **1er** intr 81	clouer **1er** tr 76	coloniser **1er** tr 81
claironner **1er** tr, intr 81	clouter **1er** tr 81	colophaner **1er** tr 81
clairsemer **1er** tr 88	coaguler **1er** tr, intr 81	colorer **1er** tr 81
clamecer **1er** intr 66	coaliser **1er** tr 81	colorier **1er** tr 83
clamer **1er** tr 81	coasser **1er** intr 81	coloriser **1er** tr 81
clamper **1er** tr 81	cocheniller **1er** tr, intr ... 62	colporter **1er** tr 81
clamser **1er** intr 81	cocher **1er** tr 81	coltiner **1er** tr 81

tr : transitif   intr : intransitif   imp : impersonnel   pr : pronominal   Ê : auxiliaire être   A, Ê : auxiliaire avoir ou être

D

tr : transitif   *intr* : intransitif   *imp* : impersonnel   *pr* : pronominal   Ê : auxiliaire *être*   A, Ê : auxiliaire *avoir* ou *être*

tr : transitif   intr : intransitif   imp : impersonnel   pr : pronominal   Ê : auxiliaire être   A, Ê : auxiliaire avoir ou être

tr : transitif   *intr* : intransitif   *imp* : impersonnel   *pr* : pronominal   *Ê* : auxiliaire être   *A, Ê* : auxiliaire *avoir* ou *être*

E

tr : transitif   *intr* : intransitif   *imp* : impersonnel   *pr* : pronominal   *Ê* : auxiliaire *être*   *A, Ê* : auxiliaire *avoir* ou *être*

tr : transitif   intr : intransitif   imp : impersonnel   pr : pronominal   Ê : auxiliaire être   A, Ê : auxiliaire avoir ou être

tr : transitif *intr :* intransitif *imp :* impersonnel *pr :* pronominal *Ê :* auxiliaire être *A, Ê :* auxiliaire avoir ou être

G

tr : transitif intr : intransitif imp : impersonnel pr : pronominal Ê : auxiliaire être A, Ê : auxiliaire avoir ou être

tr : transitif *intr* : intransitif *imp* : impersonnel *pr* : pronominal *Ê* : auxiliaire être *A, Ê* : auxiliaire avoir ou être

---

tr : transitif   intr : intransitif   imp : impersonnel   pr : pronominal   Ê : auxiliaire être   A, Ê : auxiliaire avoir ou être

N

tr : transitif   *intr* : intransitif   *imp* : impersonnel   *pr* : pronominal   *Ê* : auxiliaire *être*   *A, Ê* : auxiliaire *avoir* ou *être*

ouater **1er** tr	81
ouatiner **1er** tr	81
oublier **1er** tr	83
ouiller **1er** tr	79
ouïr **déf** tr	190
ourdir **2e** tr	92
ourler **1er** tr	81
outiller **1er** tr	62
outrager **1er** tr	77
outrepasser **1er** tr	81
outrer **1er** tr	81
ouvrager **1er** tr	77
ouvrer **1er** tr, intr	81
ouvrir **3e** tr, intr	146
ovaliser **1er** tr	81
ovationner **1er** tr	81
ovuler **1er** intr	81
oxyder **1er** tr	81
oxygéner **1er** tr	57
ozoniser **1er** tr	81

P

pacager **1er** tr, intr	77
pacifier **1er** tr	83
pacquer **1er** tr	78
pactiser **1er** intr	81
paganiser **1er** tr, intr	81
pagayer **1er** tr, intr	82
pageoter (se) **1er** pr, Ê	90
pager **1er** intr	77
paginer **1er** tr	81
pagnoter (se) **1er** pr, Ê	90
paillarder **1er** intr	81
paillassonner **1er** tr	81
pailler **1er** tr	91
pailleter **1er** tr	75
paisseler **1er** tr	60
paître **déf** tr, intr	190
palabrer **1er** tr, intr	81
palancrer **1er** tr	81
palangrer **1er** intr	81

palanguer **1er** intr	68
palanquer **1er** tr, intr	78
palataliser **1er** tr	81
paletter **1er** tr	81
palettiser **1er** tr	81
pâlir **2e** tr, intr	92
palissader **1er** tr	81
palisser **1er** tr	81
palissonner **1er** tr	81
pallier 1er tr	80
palmer **1er** tr, intr	81
paloter **1er** tr	81
palper **1er** tr	81
palpiter **1er** intr	81
pâmer **1er** intr	81
panacher **1er** tr	81
paner **1er** tr	81
panifier **1er** tr	83
paniquer **1er** tr, intr	78
panneauter **1er** intr	81
panner **1er** tr	81
panoramiquer **1er** intr	78
panosser **1er** tr	81
panser **1er** tr	81
panteler **1er** intr	60
pantoufler **1er** tr, intr	81
papillonner **1er** intr	81
papilloter **1er** tr, intr	81
papoter **1er** intr	81
papouiller **1er** tr	79
parachever **1er** tr	88
parachuter **1er** tr	81
parader **1er** intr	81
parafer **1er** tr	81
paraffiner **1er** tr	81
paraisonner **1er** tr	81
paraître 3e intr, A, Ê	118
paralléliser **1er** tr	81
paralyser **1er** tr	81
paramétrer **1er** tr	57
parangonner **1er** tr	81
parapher **1er** tr	81

paraphraser **1er** tr	81
parasiter **1er** tr	81
parceller **1er** tr	74
parcelliser **1er** tr	81
parcheminer **1er** tr	81
parcourir **3e** tr	122
pardonner **1er** tr (à)	81
parementer **1er** tr	81
parer **1er** tr, intr	81
paresser **1er** intr	81
parfaire **déf** tr	190
parfiler **1er** tr	81
parfondre **3e** tr	170
parfumer **1er** tr	81
parier **1er** tr	83
parisianiser **1er** tr	81
parjurer **1er** tr, intr	81
parkériser **1er** tr	81
parlementer **1er** intr	81
parler 1er tr, intr	81
parloter **1er** intr	81
parodier **1er** tr	83
parquer **1er** tr, intr	78
parqueter **1er** tr	75
parrainer **1er** tr	81
parsemer **1er** tr	88
partager **1er** tr	77
participer **1er** tr (à, de)	81
particulariser **1er** tr	81
partir 3e intr, Ê	147
partir **déf** tr	190
partouser **1er** intr	81
partouzer **1er** intr	81
parvenir **3e** tr, Ê (à)	176
passementer **1er** tr	81
passepoiler **1er** tr	81
passer **1er** tr, intr, A, Ê	81
passiver **1er** tr	81
passionner **1er** tr	81
pasteller **1er** tr	74
pasteuriser **1er** tr	81
pasticher **1er** tr	81

tr : transitif *intr* : intransitif *imp* : impersonnel *pr* : pronominal *Ê* : auxiliaire être *A, Ê* : auxiliaire avoir ou être

tr : transitif *intr* : intransitif *imp* : impersonnel *pr* : pronominal *Ê* : auxiliaire *être* A, Ê : auxiliaire *avoir* ou *être*

tr : transitif   *intr* : intransitif   *imp* : impersonnel   *pr* : pronominal   *Ê* : auxiliaire *être*   *A, Ê* : auxiliaire *avoir* ou *être*

tr : transitif   *intr* : intransitif   *imp* : impersonnel   *pr* : pronominal   *Ê* : auxiliaire *être*   *A, Ê* : auxiliaire *avoir* ou *être*

rejouer 1er *tr, intr* 76	rembrunir 2e *tr* 92	renâcler 1er *intr* 81
réjouir 2e *tr* 92	rembucher 1er *tr* 81	renaître déf *intr* 191
relâcher 1er *tr, intr* 81	remédier 1er *tr* (à) 83	renarder 1er *intr* 81
relaisser (se) 1er *pr, Ê*.... 90	remembrer 1er *tr* 81	renauder 1er *intr* 81
relancer 1er *tr* 63	remémorer 1er *tr* 81	rencaisser 1er *tr* 81
rélargir 2e *tr* 92	remercier 1er *tr* 83	rencarder 1er *tr* 81
relarguer 1er *tr* 68	remettre 3e *tr* 139	renchaîner 1er *tr* 81
relater 1er *tr* 81	remeubler 1er *tr* 81	renchérir 2e *tr, intr* 92
relativiser 1er *tr* 81	remilitariser 1er *tr* 81	rencogner 1er *tr*........ 89
relaver 1er *tr* 81	remiser 1er *tr*.............. 81	rencontrer 1er *tr* 81
relaxer 1er *tr* 81	remixer 1er *tr* 81	rendormir 3e *tr* 130
relayer 1er *tr, intr* 82	remmailler 1er *tr*......... 91	rendosser 1er *tr* 81
reléguer 1er *tr* 65	remmailloter 1er *tr*...... 81	rendre 3e *tr* 175
relever 1er *tr, intr* 88	remmancher 1er *tr* 81	reneiger 1er *imp, intr* ... 77
relier 1er *tr* 83	remmener 1er *tr* 88	rénetter 1er *tr* 81
relire 3e *tr*.................. 135	remobiliser 1er *tr* 81	renfaîter 1er *tr* 81
reloger 1er *tr*............... 77	remodeler 1er *tr* 72	renfermer 1er *tr* 81
relooker 1er *tr* 81	remonter 1er *tr, intr, A, Ê* 81	renfiler 1er *tr* 81
relouer 1er *tr* 76	remontrer 1er *tr* 81	renflammer 1er *tr* 81
reluire 3e *intr* 136	remordre 3e *tr*............ 140	renfler 1er *tr, intr*........ 81
reluquer 1er *tr* 78	remorquer 1er *tr* 78	renflouer 1er *tr* 76
remâcher 1er *tr*............ 81	remoucher 1er *tr* 81	renfoncer 1er *tr* 63
remailler 1er *tr* 91	remoudre 3e *tr* 141	renforcer 1er *tr* 63
remanger 1er *tr* 77	remouiller 1er *tr, intr*... 79	renformir 2e *tr* 92
remanier 1er *tr* 83	remouler 1er *tr* 81	renfrogner 1er *tr*........ 89
remaquiller 1er *tr*........ 62	rempailler 1er *tr*.......... 91	rengager 1er *tr, intr* 77
remarcher 1er *intr*........ 81	rempaqueter 1er *tr*....... 75	rengainer 1er *tr* 81
remarier 1er *tr* 83	remparer 1er *tr* 81	rengorger (se) 1er *pr, Ê*. 77
remarquer 1er *tr* 78	rempiéter 1er *tr* 57	rengraisser 1er *intr*...... 81
remastiquer 1er *tr* 78	rempiler 1er *tr, intr* 81	rengrener 1er *tr* 88
remballer 1er *tr* 81	remplacer 1er *tr* 63	rengréner 1er *tr* 57
rembarquer 1er *tr, intr* . 78	remplier 1er *tr* 83	renier 1er *tr*................ 83
rembarrer 1er *tr* 81	remplir 2e *tr* 92	renifler 1er *tr, intr*........ 81
rembaucher 1er *tr* 81	remployer 1er *tr* 69	renommer 1er *tr* 81
rembiner 1er *tr* 81	remplumer 1er *tr* 81	renoncer 1er *tr* 63
remblaver 1er *tr* 81	rempocher 1er *tr* 81	renouer 1er *tr* 76
remblayer 1er *tr* 82	rempoissonner 1er *tr* 81	renouveler 1er *tr* 60
rembobiner 1er *tr* 81	remporter 1er *tr*.......... 81	rénover 1er *tr* 81
remboîter 1er *tr* 81	rempoter 1er *tr*............ 81	renquiller 1er *tr* 62
rembouger 1er *tr* 77	remprunter 1er *tr* 81	renseigner 1er *tr* 89
rembourrer 1er *tr*.......... 81	remuer 1er *tr, intr* 86	rentabiliser 1er *tr* 81
rembourser 1er *tr*.......... 81	rémunérer 1er *tr* 57	rentamer 1er *tr* 81

tr : transitif   *intr* : intransitif   *imp* : impersonnel   *pr* : pronominal   *Ê* : auxiliaire *être*   *A, Ê* : auxiliaire *avoir* ou *être*

tr : transitif   intr : intransitif   imp : impersonnel   pr : pronominal   Ê : auxiliaire être   A, Ê : auxiliaire avoir ou être

roder **1er** tr 81	rugir **2e** tr, intr 92	sanctionner **1er** tr 81
rôder **1er** intr 81	ruiler **1er** tr 81	sanctuariser **1er** tr 81
rogner **1er** tr, intr 89	ruiner **1er** tr 81	sandwicher **1er** tr 81
rognonner **1er** intr 81	ruisseler **1er** intr 60	sangler **1er** tr 81
roidir **2e** tr 92	ruminer **1er** tr, intr 81	sangloter **1er** intr 81
romancer **1er** tr 63	rupiner **1er** tr, intr 81	saouler **1er** tr 81
romaniser **1er** tr, intr 81	ruser **1er** intr 81	saper **1er** tr 81
romantiser **1er** tr 81	russifier **1er** tr 83	saponifier **1er** tr 83
rompre **3e** tr, intr 160	rustiquer **1er** tr 78	saquer **1er** tr 78
ronchonner **1er** intr 81	rutiler **1er** intr 81	sarcler **1er** tr 81
rondir **2e** tr, intr 92	rythmer **1er** tr 81	sarmenter **1er** intr 81
ronéoter **1er** tr............ 81		sarrasiner **1er** intr 81
ronéotyper **1er** tr 81	# S	sasser **1er** tr 81
ronfler **1er** intr 81		sataniser **1er** tr, intr 81
ronger **1er** tr 77	sabler **1er** tr 81	satelliser **1er** tr............ 81
ronronner **1er** intr 81	sablonner **1er** tr 81	satiner **1er** tr 81
ronsardiser **1er** intr....... 81	saborder **1er** tr 81	satiriser **1er** tr 81
roquer **1er** tr 78	saboter **1er** tr, intr 81	satisfaire **3e** tr 132
roser **1er** tr 81	sabouler **1er** tr 81	saturer **1er** tr 81
rosir **2e** tr, intr 92	sabrer **1er** tr 81	saucer **1er** tr, intr 63
rosoyer **1er** intr............ 69	saccader **1er** tr 81	saucissonner **1er** tr, intr. 81
rosser **1er** tr 81	saccager **1er** tr 77	saumurer **1er** tr 81
roter **1er** intr 81	saccharifier **1er** tr 83	sauner **1er** intr 81
rôtir **2e** tr, intr 92	sacquer **1er** tr 78	saupoudrer **1er** tr 81
roucouler **1er** tr, intr..... 81	sacraliser **1er** tr 81	saurer **1er** tr 81
rouer **1er** tr, intr 76	sacrer **1er** tr, intr 81	saurir **2e** tr 92
rougeoyer **1er** intr........ 69	sacrifier **1er** tr 83	sauter **1er** tr, intr 81
rougir **2e** tr, intr 92	safraner **1er** tr 81	sautiller **1er** intr 62
rouiller **1er** tr, intr 79	saietter **1er** tr 81	sauvegarder **1er** tr........ 81
rouir **2e** tr, intr 92	saigner **1er** tr, intr 89	sauver **1er** tr 81
rouler **1er** tr, intr.......... 81	saillir **déf** intr, tr 191	sauveter **1er** tr 75
roulotter **1er** tr 81	saillir **2e** intr............... 92	savoir **3e** tr.................. 161
roupiller **1er** intr 62	saisir **2e** tr 92	savonner **1er** tr 81
rouscailler **1er** tr, intr.... 91	saisonner **1er** intr 81	savourer **1er** tr 81
rouspéter **1er** intr......... 57	salarier **1er** tr 83	scalper **1er** tr 81
roussir **2e** tr, intr 92	saler **1er** tr 81	scandaliser **1er** tr......... 81
roustir **2e** tr................. 92	salifier **1er** tr 83	scander **1er** tr 81
router **1er** tr................. 81	salir **2e** tr 92	scanner **1er** tr, intr 81
rouvrir **3e** tr, intr 146	saliver **1er** intr 81	scarifier **1er** tr 83
rubaner **1er** tr.............. 81	salonner **1er** intr 81	sceller **1er** tr 74
rubéfier **1er** tr.............. 83	saloper **1er** tr 81	scénariser **1er** tr 81
rucher **1er** tr................. 81	salpêtrer **1er** tr 81	schématiser **1er** tr......... 81
rudoyer **1er** tr.............. 69	saluer **1er** tr 86	schlinguer **1er** tr, intr.... 68
ruer **1er** tr, intr 86	sanctifier **1er** tr 83	schlitter **1er** tr............. 81

tr : transitif   intr : intransitif   imp : impersonnel   pr : pronominal   Ê : auxiliaire être   A, Ê : auxiliaire avoir ou être

tr : transitif   *intr* : intransitif   *imp* : impersonnel   *pr* : pronominal   *Ê* : auxiliaire *être*   *A, Ê* : auxiliaire *avoir* ou *être*

tr : transitif *intr* : intransitif *imp* : impersonnel *pr* : pronominal *Ê* : auxiliaire être *A, Ê* : auxiliaire avoir ou être

tr : transitif   intr : intransitif   imp : impersonnel   pr : pronominal   Ê : auxiliaire être   A, Ê : auxiliaire avoir ou être

Index des formes et emplois du verbe

Conception graphique : ESPERLUETTE
Couverture : Patrice CAUMON
Coordination artistique : Thierry MÉLÉARD
Édition : Anne-Sophie LE BRETON
Fabrication : Jacques LANNOY

Imprimé en Italie par Stige S.p.A. - (Turin)
10160432 - Avril 2009